JN034476

憲法の焦点

PART 1・基本的人権

―芦部信喜先生に聞く―

有斐閣リブレ

〔目　次〕

●トビラ裏および写真説明の事件・判決に付した番号は、本文中の行間の番号に合わせてあります。なお、事件・判決の解説は、有斐閣編集部で作成したものです。

対談者紹介

芦部信喜先生

一九二三年九月一七日、長野県駒ヶ根市に生まれる。一九四九年、東京大学法学部卒業。前東京大学教授、学習院大学教授。

（主要著書）『憲法と議会政』東京大学出版会、一九七一年。『憲法訴訟の理論』有斐閣、一九七三年。『現代人権論』有斐閣、一九七四年。『憲法Ⅱ人権(1)』（編著）有斐閣、一九七八年。『憲法Ⅲ人権(2)』（編著）有斐閣、一九八一年。『憲法訴訟の現代的展開』有斐閣、一九八一年。『演習憲法』有斐閣、一九八二年。『司法のあり方と人権』東京大学出版会、一九八三年。『憲法制定権力』東京大学出版会、一九八三年。

学　生

岩東完治（いわとう　かんじ）

一九六一年生まれ、土浦第一高等学校卒、早稲田大学法学部。

加賀美正人（かがみ　まさと）

一九六二年生まれ、慶応義塾高等学校卒、慶応義塾大学法学部。

村山　永（むらやま　ひさし）

一九六〇年生まれ、山形東高等学校卒、東京大学法学部。

山田　穣（やまだ　みのる）

一九六一年生まれ、修猷館高等学校卒、中央大学法学部。

第1章　基本的人権の私人間における保障

(3)　総合　13版　1977年(昭和52年)7月14日　木曜日

「反論」無料掲載認めず

サンケイ意見広告訴訟で東京地裁

共産党の請求棄却

「新聞の自由」最大尊重

倉田卓次裁判長

14日打ち上げられる静止気象衛星（米カリフォルニア州のヒューズ航空機会社での点検中に写したもの）＝UPIサン

失敗に備え、保険、契約

宇宙開発事業団

（1） **サンケイ新聞事件**（トビラ写真・朝日新聞社提供）

わが国ではじめての反論権＝アクセス権に関する訴訟として注目された事件である。

昭和四八年一二月二日、翌年の参院選を前にした自由民主党は、サンケイ新聞朝刊に七段抜きの「前略　日本共産党殿　はっきりさせて下さい」と題する意見広告を掲載した。これに対し日本共産党は、同広告は同党を誹謗、中傷するものとして、サンケイ新聞を相手取って、損害回復の手段として反論文の無料掲載を求める仮処分を東京地裁に申請したが、却下された。

そこで日本共産党は、憲法二一条に基づき民事訴訟を提起したが、東京地裁（昭五二・七・一三判時八五七・三〇）は、憲法二一条の保障する言論の自由は、当然に反論の自由も含んでいるが、それはあくまで消極的な保護であって、反論文の掲載までも認めるような積極的な保護まで含んでいない、憲法の人権保障規定は、国・公共団体と個人との関係を規律するものであって、私人相互の関係を直接規律するものではない、また本件広告には、不穏当な部分もあるが名誉棄損までには至っていない、として請求を棄却した。東京高裁（昭五五・九・二〇判時九八一・四三）も一審判決を支持して控訴を棄却した。上告審の最高裁で審理中。

（別冊ジュリスト『憲法判例百選Ⅰ』八四頁参照。以下、憲法判例百選と略）

I　人権観念の歴史性と第三者効力

●人権の観念はどのように変化してきたか

村山　それでは芦部先生との座談会を始めたいと思います。本日は、「人権論」について伺ってまいりたいと思います。最初に、基本的人権の私人間効力、あるいは第三者効力といわれる問題についてお伺いしたいと思います。この項目につきましては岩東さんからお願いいたします。

岩東　まず最初の問題としては、人権規定を私人に適用する必要性ということがよく言われますが、巨大な私的団体が登場してきたということは分かるのですけれども、積極国家化ということがもう一つ根拠にあげられるのはどういう意味なのかよく分からないのです。積極国家になると、国家が国民との関係にたくさん登場してきますから、その部分はいままでの国家に対する憲法規定だけで間に合うのではないか、という気もするのです。

もう一つ、社会権が登場して、私立学校とかあるいは会社などが社会権との関係で問題になるのでしょうか。

芦部　基本的人権が私人間にどういう形でいかなる効力をもつかということは、二十世紀憲法の最も大きな問題の一つですが、いまの質問に対して答える前提として、これはごく基本的なことですけ

芦部信喜先生

れども、人権の歴史性といいますか、具体的にいえば人権宣言の歴史と、それに伴って人権の観念がどのように変化してきたかということを理解しておくことが重要ではないかと思います。

いま質問に出たとおり、二十世紀国家になってから十九世紀的な自由国家から社会国家へ変貌したとよく言われるわけですけれども、自由国家時代には、「国家からの自由」と一部に「国家への自由」、具体的には自由権と参政権を柱にして人権宣言が構成されていたわけですが、社会国家の段階になって、社会権いわゆる「国家による自由」が新しく登場し、それが非常に大きな意味をもつようになってきましたね。この「からの自由」から「による自由」、いわゆる自由権的基本権から生存権的基本権へという歴史的な変遷の意味をよく理解しておくことが、人権の第三者効力、私人間適用の問題を考える場合の一つの基本的な前提になるわけです。

というのは、いま岩東君が言われたとおり、社会国家の段階になり社会権が重要な意味をもってきますと、これは「国家による自由」ですから、国家権力が私人の生活領域に介入して、人権をよりよく保障しようとする、そういう国家権力の市民生活への介入が人権保障にとって極めて重要な意味をもつようになってきたのです。これは国によって社会権の保障の仕方が違いますから、必ずしも同じ程度ではないわけですけれども、多かれ少なかれそういう状況になってきたのです。そうすると、社会権だけでなく、自由権についても国家権力による保障という考え方が、国によっていろいろ事情が違いますけれども、入ってきます。

その点でよく問題にされるのは、昭和三〇年代に、日本国憲法改正論の非常に有力な意見として主張されたものですが、二十世紀の現代国家では国家権力によって人権は保障される、だから日本国憲法のように「国家からの自由」ばかり強調するのはアナクロニズムである、公共の福祉による制約をもう少し強化すべきだ、という意見です。これはいまお話したような現代国家における人権のあり方の一面だけを強調し、それを悪用した改正意見ですけれども、しかしそれはともかく、人権の考え方全体の流れとして、「国家権力による自由」という傾向が強くなったことは言うまでもないわけです。

●近代的人権である「国家からの自由」を基本に考える

芦部　そこで日本の現在の問題を考える場合に、日本国憲法もそういう社会国家原理に立っておりますし、二五条から二八条にかけて社会権が保障されているわけですから、人権の歴史的な変遷と、それに伴って自由権の古典的・伝統的な性格にもそれが大きな影響を与えていることを考えなければならないのです。

ですから、先ほど岩東君が言われたとおり、現代社会では巨大な国家類似の団体が生まれ、その団体との関係で人権問題が国家との関係よりも、より多く問題にされるようになってきたということと並んで、社会国家という現代国家のあり方が、私人間に人権規定の適用があるかどうかを考える場合の大きな一つの前提問題になるわけです。

ただ、一つ注意しなければならないのは、人権には「国家からの自由」である近代的な人権と、「国家による自由」という現代的な人権があるわけですが、このどちらに重点を置いて考えるか、これは国によって憲法の建前が違いますから一概には言えないのですが、日本国憲法の場合は、普通、教科書にも書かれてあるとおり、前者の近代的人権が中心になって人権宣言が構成されているということです。その点では、西ドイツ憲法も条文上は同じように近代的人権を中心として構成されているのですけれども、人権理論をみますと、日本で言う現代型の考え方を大幅にとり入れて解釈論を展開しているのが学説・判例の支配的な傾向なのです。

しかし日本の場合、近代的人権を中心にして人権解釈論を展開しないと、私人間における人権問題だけでなく、いろいろな点で問題が出てくると思います。つまり、人権の中心は、「国家からの自由」にあるということを前提にして基本的人権の私人間における保障の問題も考えなければならない。「国家による自由」という現代型人権の考え方が中心だと考えますと、伝統的な「国家からの自由」

の性格が希薄になり、国家権力がいろいろな形で人権に介入してくる恐れが出てくるからです。これは歴史や伝統、それに現代日本の憲法政治全体の評価の問題に関連します。私はいろいろ書いたりしてきましたが、近代型人権と現代型人権とを一応分けて、その相互の歴史的な連関には十分注意するとともに、近代型人権を中心にして人権論を考え、それを基礎にして私人間における人権保障の問題の解釈論を構成していくという立場をとっているわけです。

●人権はもともと「全法秩序の基本原則」として認められていた

村山　ただいまのお話では、人権を考える場合の基本的視点といったようなことをお話いただいたように思いますが、そこからさらに一歩進んでどなたかご質問があれば伺いたいと思います。

山田　ただいまの先生のご説明により、まず憲法で人権を考える場合に、近代的人権を中心において考えなければならないということが分かりました。けれども、その理由というか、もっと深く考えてみますと、もともと憲法というものは国家と国民というか、力の差のあるものを規律対象として、国民の立場からそれをどのように基本的人権として保障していくかということだと思うのですが、それがなぜ私人間に及んでくるかといいますと、本来平等であるべき市民社会自体が歴史的な変遷によって、そこに上下の力関係が発生してきた、そこを補正し、水平的な平等性を確保するために社会権という人権規定が出てきたと思うのです。だから、もともと「国家からの自由」というのがあって、それを補正する段階ではじめて「国家による自由」というのが出てくると理解してよろしいでしょうか。

芦部　人権そのものの理解としては、そういうふうに考えてよいと思うのですが、いま議論している私人間における人権規定の効力問題としてみた場合には、その点が直接適用を理由づける決め手になるわけではないんですね。

本来人権は「国家からの自由」としてとらえられてきたのですが、人権は歴史的な概念ですから、十八世紀から二十世紀にかけて大きく変貌してきているわけです。その一つとして社会権が生まれて、それがいま言われたような自由権に対する意味をもっていると考えられているわけです。けれども、そもそも近代型人権そのものも、従来伝統的に考えられてきた「国家からの自由」という性格だけではなく、自然権思想に基づいてフランス革命後に宣言された人権宣言当時の歴史にまでさかのぼって考えると、それは「全法秩序の基本原則」というようにとらえられ、必ずしももっぱら「国家に対する権利」というふうにはとらえられていなかったのです。それほど人権価値が「全法秩序の基本原則」として高く、強く認められていたわけですね。一七八九年の人権宣言は、その後のフランス法秩序の基本原則として、第四共和制から今日の第五共和制の憲法の前文でうたわれているのですが、戦後の多くの憲法学者の研究でそういう人権宣言の性格があらためて明らかにされ、強調されるようになってきていることが、重要なポイントだと思います。

学生の質問に答えられる芦部先生

●現代社会では人権を広くとらえることが要請されている

芦部　ところが人権の歴史というものを考えてみますと、十九世紀に入って自然権思想が退潮するとともに、法律学全体に実証主義的な傾向が強くなってきます。特に憲法学の領域では、ドイツに十九世紀後半から、日本でも有名なポール・ラーバント (P. Laband) とか、ゲオルグ・イェリネック (G. Jellinek) というすぐれた公法学者が出て、近代公法学、憲法学の基礎を築いたのですが、その憲法理論はいわゆる法実証主義という考え方で、これが明治憲法下の日本の憲法理論に大きな影響を及ぼしたのです。

そこでは自然権理論は捨てられております。そして、国家が法の生産者であると考えられたものですから、権利も明治憲法の臣民の権利に典型的に表れているように、国家によって与えられた、あるいは君主によって与えられたものと解されたわけです。したがってまた、そこでは権利はもっぱら「国家からの自由」だという考え方が非常に強く公法学、憲法学に影響を与え、その後広く権利・自由は対国家的なものとしてとらえるべきだという説が支配的となったものですから、ワイマール憲法時代の通説では、権利・自由は憲法で明文によって私人間効力を認めている場合を除いては、すべて私人間には一切適用がない、いわゆる日本でいう無効力説が通説であったわけです。

日本でも同じように考えられたものですから、戦後暫くの間はその考え方が学説では支配的で、憲法自体は臣民権から人権というふうに変わったのですけれども、理論的には明治憲法時代の考え方が少なくとも昭和二〇年代まではかなり一般的に通用しておりました。最高裁判所の二〇年代の判例でも、私人間効力を新しい観点からとらえ直そうという視点は全くありませんでした。それがこの問題を考える場合の非常に重要な一つの点です。つまり、人権をもっぱら「国家からの自由」ではなく、歴史的にさかのぼっていけば、先ほど触れましたが、フランス革命当時は「全法秩序の基本原則」だと考えられたということ、したがって、少なくとも第一次的には国家に対する権利であるけれども、それに限定されるものとしてとらえる必要はなく、人権は本来の趣旨からいっても、また現代社会の要請からいっても、広く社会的権力に対するものだというふうに考えても人権の観念と矛盾するものではないということです。現代社会では人権をそういうふうに広くとらえていくことが要請されているので、私人間効力の問題が、戦後、登場してきたわけです。しかし、そう考えてもなお、はじめにお話したとおり、人権は規定の趣旨・目的から私人間に直接効力あるものと、間接的な効力しかもたないものとを区別することが必要だというのが、私の考え方なのです。

●直接適用説をとると近代的人権の観念がうすくなる

村山　次に現代における議論に移りたいと思います。現代日本ではかなり有力に直接効力説というものも主張されていますし、多数説は間接効力説だと思いますが、この辺の議論の対立についてのお考えをお伺いしたいと思います。

芦部　いま、お話したとおり、さかのぼって考えますと、必ずしも国家権力との関係に人権を限定して考える必要はないというふうに言えるわけですから、人権は社会的権力にも直接適用されると解することもできるようにも思われるわけですね。

しかし、フランス革命の当時もそうですが、その後の長い人権の歴史を振り返ってみても、一番権利・自由が問題になったのは国家権力との関係であったわけで、戦後ヨーロッパでもアメリカでも、さらに日本でもそうですが、人権がまず第一次的には国家権力との関係でとらえられるべきものだと考えられたのは、そういう意味では当然だと思うのです。

それから最初にお話したとおり、現代型の人権というものが登場して、近代型の人権と並んで人権宣言の二本の柱のような形になってきているわけですが、「国家による自由」「国家による権利」という観点をあまりにも強調しますと、国家権力・公権力の市民生活への介入がそれだけ増大する危険があると思われるわけです。直接適用説をとりますと、近代型の人権の観念が最初にお話したとおり希薄になるわけで、それはそれでまた違った歯止めをかければ人権保障そのものに影響はないというふうにも考えられますが、そうではないと私は思うのです。

日本の人権の歴史を考えますと、明治憲法時代に自由権は保障されていたわけですが、法律の留保を伴っておりましたし、そもそも基本的人権の観念はなかったと言えます。そして、自由権そのものの保障もきわめて不完全にしか行われないままに敗戦を契機にして日本国憲法の制定という事態を迎え、そこにいきなり自由権だけでなく社会権の保障が初めて盛られるということになったわけですから、自由権が真に保障される時代を経ないで、自由権とそれに社会権を加味した現代型の人権宣言を敗戦によって外から与えられるという形で制定しているわけです。そういう外在的な理由によって新しい人権宣言ができた歴史と、明治憲法時代の自由・権利の保障のあり方や、日本における国家権力の実体というものを考え合わせますと、あまり現代型人権の考え方を中心として人権論を構成すべきではないのではないかと思うのです。

●「国家からの自由」が複合的性格をもつようになってきた

芦部　それともう一つは、現代社会になって「新しい人権」が登場してきたことです。またそれと並んで、社会権の登場ということに大きく影響されているのですが、伝統的な自由権、いわゆる「国家からの自由」が複合的な性格をもつようになってきていることです。これは例えば、私もいろいろの機会に書いていることですが、表現の自由が「知る権利」という請求権的、あるいは社会権的な側面をもつ権利としてとらえられるようになってきているのが典型です。そうしますと、直接適用説を表現の自由の領域にまで適用すると、「知る権利」は請求権的な性格をもつわけですから、例えば、マスメディアに対する知る権利という理念的な権利も、憲法二一条が私人間に直接適用される以上、国家によって反論請求権が認められるか認められないかというような形で、いきなり憲法二一条を根拠に裁判所等を通じて判定されなければならないというような問題が起こってくるのではないか、と思います。これはサンケイ新聞事件(1)などで問題になった例です。そういう伝統的な自由権について、国家権力が、仮に裁判所という中立公平な機関であっても、いきなり介入して判断を下すというのは好ましくないのではないか、またそれを立法で規律するようなことになれば一層そうではないか、もっと市民生活の自治にゆだねるのが望ましいのではないか、という趣旨なのです。

Ⅱ　アメリカの法技術の有用性

●巨大な社会的権力の登場が国家類似説をもたらした

岩東　アメリカでは間接効力説のような考え方ではなくて、「国家同視説」という考え方で人権の私人間効力の問題が検討されているようですが、それは先ほど言われた法実証主義的な思想が薄かったというような背景があるのでしょうか。

村山　アメリカではもちろんそういった問題意識があるわけでしょうし、そこでは日本法の知らない法技術がいろいろ用いられているように思われます。その中には「国家同視説」とか「国家類似説」とか呼ばれるものがありますが、これらはどのような考え方なのでしょうか。

芦部　アメリカでは連邦憲法の条文をみますと、例えば表現の自由については、「連邦議会は言論の自由を制限する法律を制定してはならない」というように、規定自体が、自由権は対国家的な権利であるという趣旨になっております。言論の自由以外の権利・自由も、原則として対国家権力性のものというふうにとらえられてきております。しかし、他の諸国と同じように、社会の変化・発展とともに人権の第三者効力が問題になってきたのです。そこでどういう法技術でそれを解決しようとしたかといいますと、ヨーロッパの間接適用か直接適用かという考え方と違って、一応人権宣言は国家権力に対するものという考え方を前提にしたうえで、社会の中で特に巨大な権力を行使する社会的権力といわれるものの構造と機能を考えて、その構造・機能が国家と類似するようなものには人権を直接適用することもできるのではないか、そういう考え方が一部に有力に主張されるようになってきたわけです。これを「国家類似説」と言います。その考え方をとりますと、国家と類似するような巨大な社会的権力と、その権力によって人権を侵害されたものとの関係では、人権規定が直接に適用されるということになるわけです。

●国家との結びつきから国家同視説が考えられる

岩東完治君

芦部　これに対して国家同視説というのは、国家と類似するような巨大な社会的権力というのではなく、巨大性ということももちろん問題になる場合もありますが、そうではなくて、一般の私人ないし私的団体と国家との結びつき、かかわり合いが極めて密接な場合に、その私的団体なり私人の行為を国家権力の行為と同視できると考えて憲法を適用するという考え方です。国家との結びつきが極めて密接なかかわりだと判断できる場合に、それを国家と同視して憲法を適用するという考え方です。そういう意味で「国家同視説」というものが考えられるわけです。

どういう結びつきが密接かどうかという場合に、いろいろの類型にこれを分けて考えることができます。これはケース・バイ・ケースに考えていかなければならないわけですけれども、その場合に大きく分けて二つの類型があります。一つは、私人ないし私的団体が行った行為を機能の面から考えた場合の類型で、公的機能説と通常言われるものが、それに当たります。これは、当該団体の行っている機能が高度にもしくはもっぱら公的性格を持つと考えられる場合には、その団体の行為を国家と同視する、という考え方です。もう一つは、機能の面ではなく、国家との結びつきという点に重点を置いた場合の類型です。例えば、国から財政的援助を受けたり、国有財産（建物）を賃借したりしている私的団体が人権侵害行為を行った場合がそれで、「国家援助の理論」および「国有財産の理論」という形で私が類型化したものですが、これらが「国家同視説」というグルーピングで考えることができるものなのです。ですから大陸法的な考え方と、そういう意味で憲法の条文の建前が少し違っているということもあって考え方が違っているわけですけれども、ねらいは全く同じで、直接適用説といえば直接適用なのですが、考え方の基本には間接適用説、というよりも無効力説的な考え方があるわけです。人権とは対国家権力的のものというふうに考えたうえで、しかし、これこれしかじかの行為は国家行為と同視し得るとか、国家行為と類似するとかということで、国家権力に近づけたうえで憲法を私人間に適用するという考え方です。

●アメリカ法的考え方が参考になる私人間行為は

芦部　日本の解釈論との関係でいえば、私は人権侵害の可能性のある私人間行為を、法律行為に基づくもの、法律行為には基づかないけれども私法の一般条項に基づくもの、事実行為に基づくもの、こういう三つの類型に分け、第一と第二のものは、民法九〇条なり私法の一般条項の解釈適用行為を通じて憲法の間接適用を行うことができると考えますが、第三の事実行為の領域では、民法七〇九条で解決することも可能ですけれども、それが適用できない場合には憲法論としては人権救済ができないということになりますので、そういう場合にアメリカ法的な考え方が非常に参考になり得るのではないか、と主張してきたわけです。

第2章　公務員の政治活動の自由

（2） 猿払事件（トビラ写真——最高裁の有罪判決に抗議する支援の人達・毎日新聞社提供）

昭和四二年一月の衆議院議員選挙の際、日本社会党候補者のポスターを掲示・配布した北海道猿払（さるふつ）村鬼志別郵便局員が、国家公務員法、人事院規則に定める公務員の政治活動の禁止に違反するとして、罰金五、〇〇〇円の略式命令を受けた事件である。被告は、これを不服として本裁判に持ち込んだが、裁判は次のような形で進んだ。

	裁判年月日	憲法判断	判決
一審	旭川地判昭四三・三・二五 下刑集一〇・三・二九三	適用違憲	無罪
二審	札幌高判昭四四・六・二五 判時五六〇・三〇	適用違憲	無罪
三審	最大判昭四九・一一・六 刑集二八・九・三九三	合憲	有罪

裁判においては、国家公務員法および人事院規則が、公務員の政治活動を一律、広範に禁止し、違反行為に対し刑事罰を科しているのは、憲法二一条・三一条に照らして合憲か違憲かで争われた。

（憲法判例百選Ⅱ 三三六頁）

I　制約の背景にある公務員観

● 特別権力関係と全体の奉仕者が考えるポイント

村山　それでは次に公務員の人権、その中でも特に政治活動の自由についての問題を取り上げてお伺いしたいと思います。

加賀美　この問題については、いわゆる猿払事件判決(2)が代表的判例で、そこでは、第一、二審の判断が最高裁で覆され、議論を呼びました。先生は、第一審については、その基本的姿勢は首肯できるとされ、適用違憲の手法についても、幾つか問題はあるものの、巧妙で評価できる、といわれておられます。ところが、最高裁判決については、かなり批判的にとらえておられるように見受けられました。ここでの問題の本質は、公務員という特殊な存在を、法的にどのようにとらえるかということであると思います。この「公務員観」のあり方を中心に、先生のご意見をお伺いしたいのですが。

芦部　基本的人権は特に十九世紀のドイツの公法理論でも主張された考え方ですが、国家と国民との関係を規律する法である憲法で保障されたものというふうに考えられておりましたので、戦前の理論では、皆さんもご存じのように特別権力関係といわれている領域、日本では最近特殊的法律関係ともいわれますが、そこでは人権の保障は原則として排除されると考えられていたわけです。公務員関係は、そういう十九世紀から二十世紀にかけて、戦前の特にドイツ、日本で主張された特別権力関係の典型であったということ、これがこの問題を考える場合の一つの大きなポイントになると思います。

もう一つは、日本国憲法では、ワイマール憲法にもあった有名な規定ですが、憲法一五条で「公務員は全体の奉仕者である」と定められていることです。全体の奉仕者という観念はいろいろ意味がありますけれども、それが特別権力関係における公務員観と重なり合うような形でとらえられてきた面があるのではないかと思うのです。もちろん二つは考え方が違うわけですけれども、「全体の奉仕者」という性格が実際には伝統的な特別権力関係理論の代替的な意味をもった面もあります。

●公務員も市民としての人権は保障される

芦部　そこで、現在の日本国憲法の下で公務員の人権を考えますと、福祉国家の進展とともに行政需要が拡大し公務員組織が地方公務員を含めますと非常に発達し、公務員の占める人数の割合も非常に多くなってきておりますので、公務員の人権を一般国民と区別して特別に取り扱うという実質的な根拠はほとんどなくなったのではないか、ということが問題になります。公務員も市民ですから、市民として享受できる人権は原則として一般国民と同じに保障されなければならないというふうに考えなければならないのではないか、ということですね。そうしますと、その限りで伝統的な特別権力関係の理論も崩壊しますし、全体の奉仕者ももちろん公務員の理念的な性格というものを示していること

毎日新聞（夕刊）（日刊）　昭和41年(1966年)　10月26日　(水曜日)

毎日新聞
夕刊
毎日新聞社(東京)
©毎日新聞社 1966

二審判決破棄、差し戻し
全逓中郵事件に新判例

公企体労組の実力行使
刑事罰加えられぬ
国民に重大障害ない限り

政治ストや暴力は認めない

最高裁大法廷

トリオ預金の
常磐相互銀行

(3) 全逓東京中郵判決（写真・毎日新聞社提供）

公務員の争議行為が原則的に認められた画期的事件であるが、後に全農林警職法判決等によってその考え方が修正を受けることになる。

昭和三三年の春闘に際して、全逓労組の役員らが、東京中央郵便局の従業員に対し、勤務時間内の職場大会に参加するよう説得し、三八名の従業員に数時間にわたる職場離脱をさせ、郵便物二〇万通を滞貨させた行為が、郵便法七九条一項の郵便物不取扱罪の教唆犯に当たるとして起訴された。

上告審の最高裁大法廷（昭四一・一〇・二六刑集二〇・八・九〇一）は、従来、公共の福祉、全体の奉仕者を理由に公務員の争議行為を制限していた考え方を修正し、憲法二八条の労働基本権の保障は、私企業の労働者ばかりでなく公共企業体の職員や公務員にも基本的に及び、公労法一七条一項違反の行為も労組法一条二項が適用され、刑事免責を受けるとして、二審判決を破棄差し戻した。

（憲法判例百選Ⅱ二四二頁）

えられるわけです。

とは疑いないのですが、それによって人権が制限される直接の根拠にはならないのではないか、と考えられるわけです。

●判例の考え方はどう変わってきたか

芦部　ところが判例の動向を見てみますと、いま簡単にお話したような考え方は、昭和四一年の全逓東京中郵判決(3)になって初めて打ち出されました。この判決は、「公務員といえども一般の勤労者と同じように原則として労働基本権の保障を受ける。しかし、次のような最小必要限度の合理的な制約は許される。それは内在的な制約である」という形で公務員の人権をとらえたわけです。しかし、この考え方は、昭和四八年の全農林警職法判決(4)によって覆され、公務の公共性と公務員の地位の特殊性から争議権が大幅に制限されてもやむを得ない、ということになりました。

そこでは地位の特殊性ということが公務員の権利の制限の最も重要な理由になっているのです。これは憲法一五条の「全体の奉仕者」を根拠にして広範な人権制限も正当化されるとしていた昭和二〇年代の考え方とほぼ同じ趣旨だと解することができるわけです。この考え方が昭和四九年の猿払事件最高裁判決の中にも基本的に取り入れられ、地位の特殊性のゆえに公務員の政治活動の自由が、職種や行為を行った場所・時間などの個別的な事情と関係なしに、一律に制限されてもやむを得ない、という形で現行法の規制を合憲とする判決になっているのです。それらを考えますと、「全体の奉仕者」

という憲法の条文が、十九世紀的な常時勤務状態にある公務員観を具体化した規定というような意味をもつものとして、とらえられているのではないか、と思われるのです。

これが、全逓東京中郵判決を基盤にして、個別的に人権制約の当否を検討する必要があるという観点から、猿払事件の場合に適用違憲の判断を下した第一審、第二審と基本的にアプローチの仕方が異なる点ではないかという趣旨です。

●公務員の政治活動が制限される基準は

山田　最高裁の判決における公務員観は、先のように十九世紀的な常時勤務状態にあるという意味での全体の奉仕者であるということで考えてよいと思いますが、これに対し、公務員も一般的に人権の保障を受けるとした場合に、具体的に政治活動の自由を制限する基準として、公務員の職務の内容や、階級による差別を考えなければならないと思います。そこで、猿払事件の第一審判決を参考にして先生のご意見をお伺いしたいと思います。

芦部　私は全逓東京中郵判決で基本的に明らかにされたように、公務員も原則として一般国民と同じように基本的人権の保障を受けるという立場をとりますので、それが制限される場合にはそれぞれ具体的な場合に応じてその勤務関係を検討し、例えば、いま言われたように職種、地位、行為が行われた場所、時間、その態様というものを個別的に検討したうえで合憲か違憲かを判定しなければならないというふうに考えるわけです。

そういう点からいいますと、国家公務員法一〇二条で一括的に政治活動が制限され、しかもそれを広範に人事院規則に委任しているという立法のあり方が、果たして妥当かどうかという点については疑問をもってきたわけです。ただ、これも合憲だとする限定解釈の立場もあり得ると思いますし、事実、猿払事件の第一審判決は、適用違憲という形で、基本的にはいまのような個別的、具体的な検討のアプローチをとったうえで事件を解決したわけです。

しかし、表現の自由を規制する立法については、限定解釈にも大きな限界があるわけで、過度に広範な規制を行っている立法で、合憲的適用の部分と違憲的適用の部分とが必ずしも明確に区別できない、いわゆる不可分の関係にあると考えられる場合には、その法令自体を一応違憲としてもう少し明確に規定し直すのが望ましいのではないかと考えてきたわけです。

Ⅱ　公務の中立性と公務員の人権

●権利制約の根拠として公務員の政治的中立性も必要か

村山　それでは、もう一つお伺いしたいことがあるのですが、制約の根拠として公務の中立性ということが持ち出されるのは極めて当然のことと思いますが、それに加えてさらに公務員の中立性という要素が言われるわけですけれども、こういった要素を制約の根拠として持ち出すことの当否についてお伺いしたいと思います。

芦部　先ほどもお話したように、公務員の権利は広く特別権力関係の理論でとらえられてきたのですが、伝統的なその理論では在監者の権利も同じ類型の問題としてとらえられてきましたし、現在でも、一般国民と違うという点では同じだと考えてよいのですが、とりあえず公務員だけに限って言えば、権利・自由の制約の根拠は、憲法が、公務員関係の存在とその自律性を憲法的秩序の構成要素として認めていることにあると思うのです。日本国憲法ですと公務員関係は憲法一五条および七三条によって憲法的秩序の構成要素として認められておりますので、その公務員関係を維持するうえで必要最小限度の規制は憲法に反しないと考えられるわけです。

そういうわけですので、公務の中立性の維持のために公務員の権利が必要最小限度の規制を受けるのは、憲法で認められると思うのですが、公務の中立性という論拠のほかに、公務員の政治的中立性ということが下級審の裁判事件でもう一つの論拠として用いられるようになったのです。そして、それが、昭和四九年の猿払事件最高裁判決で公務の中立性と並んで立法目的として掲げられるということになったわけです。

私は公務の中立性という立法目的だけで考えるべきではないかと思いますが、猿払判決では、公務

員の政治的中立性という点はそれほど大きな意味をもってはいないのですね。ですから、この点をそれほどこの判決については問題にする必要はないと思うのです。外国の例を調べても、公務員の中立性はどこの国でも挙げられますけれども、公務員の政治的中立性ということを併せて挙げている国もかなりありますし、そのこと自体をそれほど問題にする必要は判決の解釈としてはないのです。憲法論から言うと、そこまで言う必要はないし、むしろ公務の中立性が立法目的だと考えるのが妥当だと思います。

加賀美正人君

●猿払事件は最高裁と下級審とでアプローチの仕方が違う

加賀美　猿払事件の最高裁判決で特に気にかかるのは、検討の出発点ですでに、結論がでてしまっているようにみえることです。公務員の特殊性を強調するところから、不公平な利益衡量をしているように思えます。つまり、一方で立法目的は「国民全体の共同利益」であるとして重くみて、他方で公務員に対する制約は「付随的」であるとして軽くみています。このようなアプローチでは、最初から結論がみえてしまっているのではないでしょうか。

また、立法目的を「国民全体の共同利益」とまで高める論拠として、「公務の中立性」のみならず、「公務の中立性に対する国民の信頼」まであげられています。この両者の違いと、後者を立法目的に掲げることの当否について、お伺いしたいと思います。

芦部　公務ないし公務員の政治的中立性に対する国民の信頼を立法目的として考えることは、立法目的が漠然としてしまいますし、先ほどお話したとおり、公務員の権利の制約の根拠というものは公務員秩序の維持ということですので、それに対する国民の信頼の念の確保ということを立法目的として掲げて規制の適否を検討するというのは、妥当ではないのではないかと思っています。

ただ、猿払事件最高裁判決についてのもう一つの重要なポイントは、加賀美君がいま言われた最初の点にかかわる問題です。つまり、公務の中立性とか公務員の政治的中立性というものを、「有機的統一体として機能している行政組織における公務全体の中立性」という形でとらえているということなのです。そして、それと公務員の人権との利益の衡量という形で結論を出しておりますので、そこのところが特別権力関係理論という問題ではなく、憲法問題に対するアプローチの仕方が全逓東京中郵事件なり猿払事件第一審、第二審のアプローチと非常に異なっている重要な論点だと思うのです。

これはもう少しアプローチの違いを説明しないと分かりにくいかもしれませんが、要するに、憲法問題を考える場合、特に表現の自由にかかわる問題を判断するときですが、具体的・個別的に検討するアプローチをとるか、抽象的・一般的な形で危険ないし害悪の可能性というものを考えて規制の当否を考えるアプローチをとるか、ということです。この考え方の違いが全逓東京中郵判決と全農林警職法判決から猿払最高裁判決で著しく違っているのです。

ですから、公務員の権利の場合に、特別権力関係理論がとられたか、とられないかという、あるいは「全体の奉仕者」の観念のとらえ方が違っているか、違っていないかという問題だけではなく、憲法判断の仕方が非常に違っているということですね。これは表現の自由の規制立法の合憲性を判定する際にどういうアプローチをとるか、という一つのまた別な基本的な問題にもなるわけです。

●憲法一五条は公務員の理念的性格を示している

山田　公務員の政治活動の自由という問題を考える場合の別の視点として、政党との関係を考える必要があると思うのです。アメリカにおいては、ハッチ法*によって公務員の政治活動の自由を広範に規制しておりますが、その立法目的は、党派的となる弊害から公務員を守ることにあるといわれております。日本の場合においても、現実的に公務員の政治活動は否定できないと思いますので、この問題についての先生のご意見をお伺いしたいと思います。

芦部　それは、最初にお話した公務員観という問題になるわけです。日本の憲法は、憲法一五条で先ほど若干説明したとおり「全体の奉仕者」ということをうたっているのですが、これはまさにいま言われたような、スポイルズ・システムによって公務員制がアメリカで大変政治的に運用されたので、そういうことのないように、公務員は国民全体に対する奉仕者であって一党一派の奉仕者ではないという形で、国民主権の憲法下における公務員観を明らかにしたものです。

ワイマール憲法にも同じ条文があったのですが、行政組織は政党内閣制のもとでは非常にそれに影響を受けやすいものですから、それと一応断ち切った形で行政が中立的に運営されるという建て前を堅持しておくことが必要になるわけで、そういう意味で一五条の全体の奉仕者性は、新しい公務員の理念的性格を明示したという極めて重要な意味をもっており、国民主権の原理とそれが結びついているわけです。

しかし、一五条はこういう公務員の理念的性格を明らかにした規定ですから、全体の奉仕者性を直接根拠にして一般国民と違う特別の制限が可能になるというのではなく、権利の制限の根拠は憲法自体がその構成要素として認めている公務員秩序を維持するために必要最小限度ということで考えなければいけないわけで、公務員だから常時勤務状態にあるという、伝統的な特別権力関係で考えられていたような考え方で、人権規定が外されてしまうと考えてはならないということなのです。

ですから、今後それをどういうふうに政党内閣制度のもとで運用していくかということは大変難しいのですが、一応断ち切って考えていくということです。

＊　アメリカの連邦政府の公務員法に、一九三九年と一九四〇年にハッチ上院議員の発議によって加えられた公務員の政治活動を制限する規定〔『憲法小辞典』（有斐閣）〕。

(4) 全農林警職法事件

全逓東京中郵判決によって確立された公務員の争議権の原則的承認が、再び変更を受けた事件である。

昭和三三年の秋、全農林労働組合の役員らは、警察官職務執行法の改正案が、警察官の権限濫用を招き、ひいては労働者の団体運動を抑圧する危険が大きいとして、改正反対のため、組合員三、〇〇〇人に勤務時間内職場大会に参加するよう説得したなどとして、国家公務員法九八条五項(改正前)および一一〇条一項一七号の違反で起訴された。

最高裁大法廷(昭四八・四・二五刑集二七・四・五四七)は、憲法二八条の労働基本権の保障は公務員にも及ぶが、国民全体の共同利益の見地から制約は免れない、として被告人らの上告を棄却した。

(憲法判例百選Ⅱ二四六頁)

第3章　議員定数配分不均衡の問題

トビラ写真（毎日新聞社提供）は、昭和五八年一二月一八日の衆議院議員選挙の際、新潟三区から立候補した野坂昭如候補を応援する吉永小百合さん。

この選挙において、議員一人当たりの有権者数が、最小の兵庫五区と最大の千葉四区との間に一対四・三八の開きがあり、改めて一票の価値が国民の関心をひいた。

なお、この選挙の前に出された衆議院定数配分に関する最高裁大法廷判決（昭五八・一一・七判時一〇九六・一九）は、五五年総選挙における一対三・九四の格差は憲法の保障する選挙権の平等に反しているとしながら、五〇年に定数配分が是正されたこと等を理由に合憲の判断を下している。

(6) 最高裁大法廷昭和三九年二月五日判決（民集一八・二・二七〇）

昭和三七年七月に行われた参議院東京地方区選出議員選挙の選挙人らは、公職選挙法別表第二による議員定数の配分は、議員一人当たりの有権者数の開きが島根と東京で一対四もあり、憲法一四条に違反するとして訴を提起した。最高裁大法廷は、議員定数は国会の権限に属する立法政策の問題であって、議員数の配分が選挙人の人口に比例しないからといって憲法一四条一項に反し違憲であると断ずることはできない、と判示した。

(7) 最高裁大法廷昭和五八年四月二七日判決（判時一〇七七・三〇）

昭和五二年の参議院議員選挙の際、東京・神奈川・大阪の有権者らは、議員定数不均衡は憲法一四条に違反するとして訴を提起した。最高裁大法廷は、憲法は選挙制度をどうするかについては国会の極めて広い裁量にゆだねている、として上告を棄却した。また、この裁判においては、参議院地方区制度の特殊性や二院制の基本性格について、司法の消極主義や国会の政治責任などについても論議された。

I　憲法はどこまでの平等を要求しているか

●憲法一四条の規定は相対的・比例的平等である

村山　つづきまして、議員定数配分不均衡の問題を山田さんからお願いします。

山田　議員定数配分不均衡につきましては、次のようなことが問題であると思います。

まず第一に、憲法一四条に規定されている平等原理は、選挙においていかに反映されるべきかという問題です。これは投票価値の平等が、形式的平等であるのか、また実質的平等であるのか、という問題を含みます。

第二に、参議院の定数配分においては、衆議院の場合と異なり、国会の裁量が広範に認められる判決が出ておりますが、その根拠となっている参議院の特性とは何であるのかという問題です。

第三に、議員定数を配分するにあたって問題となる非人口的要素の役割とその限界についての問題です。

以上三つの問題について先生にお伺いしたいと思います。

芦部　大変広範な問題ですので、簡単によく説明できるかどうか分かりませんが、第一の、憲法が投票価値の平等をどういう形でどこまで要求しているのかという問題ですけれども、これについてはまず、憲法一四条で保障されている平等原則は、絶対的な平等ではなく相対的な平等であるということ、また機械的な平等ではなく比例的な平等であるということ、を前提にしなければならないと思うのです。これは大体どの教科書にも説かれている原則でしょう。

ご存じのとおり投票価値の平等の根拠規定については、憲法一四条のほかに憲法四四条の選挙の平等の規定も援用され、むしろ憲法一四条よりも四四条の方が投票価値平等の憲法上の根拠として適切ではないかという学説もありますが、しかし、この問題はやはり、選挙権の平等という人権の問題ですから、憲法上の根拠としては一四条を援用するのが妥当だと私は思います。また、一四条の人権問題として考えても、選挙権の権利性を「民主政の過程」との関連で優越的権利と考えれば、定数配分表が不可分であるという立場をとる限り、全体の違憲を争うことは許されることになります。

●選挙権の平等の基本は形式性にある

芦部　ところがその一四条は、いま説明したような相対的・比例的平等の規定ですので、宮沢俊義先生の『憲法Ⅱ』に書かれている言葉をかりますと、「民主主義的合理性」があれば必要最小限度の合理的な取扱いの違いは許されるということになるわけです。したがって、その限りでは実質的な要件を考慮することもできるわけですが、ただ選挙という行為、特に選挙権は、人格平等の原則を基礎にしております。

つまり普通選挙制度がデモクラシーの発達とともに普及してきたのですが、普通選挙制度は、すべて人間は平等であるという人格平等の原則に基づいて、一人一票（ワン・マン、ワン・ボート）の原則を具体化したものですので、それに伴う選挙権の平等ないし投票価値の平等も、その意味では形式的な平等というふうに理解しなければならないと思うのです。つまり機械的な平等ではなくて、比例的・相対的な平等なのですが、しかしいま述べたような趣旨からいえば、「形式性」という点が選挙権の平等の基本になっているということがこの問題を考える場合の大前提です。

●投票価値の平等も憲法一四条に含まれる

芦部　そこで、では投票価値の平等まで憲法原則に含まれているかどうかということですが、これは日本では昭和五一年の最高裁大法廷判決(5)によって、投票価値の平等も選挙権の平等に含まれるし、それは憲法一四条および四四条に基づく、という形で確認されましたが、学説ではそれ以前からその趣旨のことは言われておりましたし、私も昭和三九年の参議院定数訴訟に関する大法廷判決(6)をコメントした際から、投票価値の平等も憲法一四条の平等原則の中に含まれるという解釈をとり、それをいろいろの機会に述べてきているわけです。

選挙権の平等とは、こういう形式的平等ですから、議員定数が選挙区の人口数に比例するというういわゆる人口比例主義には、高度の民主主義的な合理性があるというふうに考えなければならないわけ

朝日新聞（夕刊） 1976年(昭和51年)4月14日 水曜日 32445号

定数不均衡は違憲

最高裁、47年衆院選で原判決を変更

政治構造ゆるがす宣言

一票の平等を確認

千葉一区 選挙やり直しは棄却

違憲判断 14対1の大差

違憲判断は史上三件目

是正問題

（5） 最高裁大法廷昭和五一年四月一四日判決（写真・朝日新聞社提供）

公職選挙法が昭和二五年に制定されて以来、わが国の人口の都市への集中は激しく、その結果、都市と農村の人口比による議員定数のアンバランスが生じて、一票の価値の平等が問われるようになり、数多くの訴が提起された。この判決では、最高裁が初めて公職選挙法の定数配分規定が違憲であると判断して注目を浴びた。

千葉県第一区の選挙人らは、昭和四七年一二月一〇日に行われた衆議院議員選挙に関して、公職選挙法別表第一による議員一人当たりの有権者数の比率が最小区と最大区で一対四・九九となる状況は、憲法一四条に反するとして訴を提起した。最高裁大法廷（昭五一・四・一四民集三〇・三・二二三）は、憲法一四条は投票価値の平等をも要求しており、最小区と最大区の開きが一対五に達していた状況は違憲であるが、諸般の事情を考慮して選挙自体は無効としない、と判示した。

（憲法判例百選Ⅱ 二六〇頁）

で、これは山田君の質問の第三の非人口的要素を考える場合に、その非人口的要素の役割ないし働く余地が第二次的・副次的なものにすぎない、という解釈に連なってゆくことになります。

もっとも、投票価値の平等が形式的平等だといっても、絶対的な平等ではないわけです。これはどこの国でもほぼ同じに考えられてきております。一番厳しい平等原則を貫いているアメリカ合衆国の連邦議会の選挙権の場合でも、最高裁判所の判例は絶対性に近いような形の平等原則を打ち出しております。しかし、その場合でもやはり選挙は選挙区を前提にして行われるわけであり、選挙区は一応どこの国でも行政区画を重視して作られますので、そうすると、どうしてもそこに人口の違いが選挙区ごとに出てきますから、一票の重みは選挙区ごとに平等でなければならないのですが、そこに若干の格差が出てくるのはやむを得ないのです。

●全国民の代表とは社会学的代表である

芦部　もう一つ問題になる重要な論点は、第二の衆議院と参議院との違いの問題とも関連しますが、国会は全国民を代表する機関であるという場合の代表とは、どういう意味かということです。全国の代表ですから、いわゆる命令委任を禁止するという趣旨だとどの教科書にも書いてありますし、そういう趣旨が含まれていることはいうまでもないのですが、しかし、もう一つ最近よく言われているとおり、ここでいう代表とは、私などが前から主張している表現で申しますと、社会学的代表でなけれ

山田穣君

ばならない、つまり国民意思をできるだけ正確に国会に反映するような形の代表制度でなければならない、というふうに思うのです。

というのは、特に戦後、経済の発展とともに社会構造が複雑化し価値観も多元化しまして、どのような選挙制度をとっても、国民意思を国会に忠実に、あるいは公正に反映するということが難しくなってきているわけで、したがって選挙制度を構想する場合にもできるだけ国民意思が国会に公正に且つ正確に反映するような形でなければならないと考えられるようになり、代表の観念を社会学的な側面に重点を置いてとらえる考え方が有力になってきているわけです。私もそういう考え方が妥当ではないかというふうに考えているのです。

そうしますと、先にお話しした選挙制度にいわば内在する選挙区との関連での制約と並んで、社会学的代表の観念からの合理的な格差の問題があることになります。つまり絶対的平等ではなく、国民意思を公正かつ忠実に反映するという限りにおいて、そこに一定の格差が許されるのではないかということになるわけです。

●許される格差は二対一を基準に

芦部　ただし、先ほどお話したとおり、一人一票が原則であり、また平等とは形式的平等としてとらえなければならないわけですから、許される格差も人口数の最大区と最小区の間におおむね二対一以内で、それ以上の開きがある場合は、憲法の趣旨に違反する疑いがあるのではないかと考えられます。これは一応基本的な準則ですけれども、「二対一の基準」を私が主張してきたのは、以上のような趣旨からです。

したがって、ここで問題とする投票価値を計数的にとらえるのは難しいし、そういうふうに考えるべきでないという有力な意見もありますが、私はいま述べたような趣旨で、おおむね二対一を範囲とする形式的な平等というふうに第一の問題については考えてきたわけです。

Ⅱ　参議院の特性と非人口的要素

●参議院の存在理由をまず検討すること

芦部　第二、第三の問題にお答えしますと、衆議院と参議院の違いについて、昭和五八年四月二七日の最高裁大法廷判決[(7)]は、参議院地方区は地域代表の性格が強いということを大きな根拠にして、その合憲の結論を導いているのですが、私はこの問題を考える場合に、基本的には参議院の存在理由をまず検討することが必要だと思うのです。

参議院の存在理由は従来からいろいろ言われてきまして、衆議院の横暴をチェックするというような理由もかつては一般に説かれたのですが、戦後は特に審議を慎重にするということと、国民代表を民意を正確に反映し充実したものとすること、という二つの理由が、主要な存在理由と考えられているし、また考えるべきではないかと思うのです。

その第二の国民代表の正確性ということですが、先ほど述べたような趣旨で衆議院だけですと複雑な国民意思を国会に公正で効果的に反映することはできない、そこで参議院制度を設け衆議院と違った選挙制度を構想することによって、総合的に国民意思をできるだけ国会全体の構成の中に反映させるという趣旨で、日本では全国区と地方区という二つの選挙区によって参議院議員を公選する制度をとったわけです。

●**地域代表性をあまり強調するのは問題**

芦部　しかし地方区は都道府県単位で選挙区がつくられています。そして都道府県は、確かに伝統的に一つのまとまりをもった地域ですけれども、都道府県単位の地方区というのは、アメリカの州の代表のように、その都道府県の利害を国会に反映させる地域代表という趣旨で設けられたわけではないと思います。そういう性格が全くないわけではありませんが、地域代表を強調すると、衆議院の場合の中選挙区も、かつての郡が基礎になっていますから、それぞれの選挙区の地域代表ということにもなってしまいましょう。

地方区は衆議院の選挙区を考慮して国民代表の理念を実質化するため、衆議院の選挙区と違える趣旨で全国区とセットの形で考案されたものですから、必ずしも都道府県でなくても、広域経済という観点から言えば、若干の府県を統合する選挙区も考えられないわけではないのです。また、都道府県を選挙区としてもいろいろな点で選挙制度を操作することによって定数の平等性を確保していく改革を進めるということはできると思うので、地域代表という性格を強調するあまりに、一票の格差が一対五程度に大きく開いても違憲でないということを理由にするのは、かなり問題があるのではないかと思うのです。

ですから、この場合、原則として衆議院も参議院も人口比例主義が第一次的には妥当すると考え、ただ参議院の場合には憲法で半数交代制が定められておりますので、その限りでそこに衆議院と違った結果が出てくる可能性もある、と思うのです。しかし、それも、これは西平重喜*さんがかつて主張されていたことですが、都道府県に二名ずつ一様に定数を配分したうえで、残りの定数を今度は各都道府県の人口数に比例してドント方式**で配分していくというようなやり方、これはその当否はともかくとして、そういうやり方で配分を考えることもやろうと思えばできるわけです。さらに、都道府県単位の選挙区で定数配分を行うことが難しいということであれば、それを全体としてもう一回抜本的に考え直してみるということもできるわけですから、地域代表制を最高裁の大法廷判決のように強調するのは問題ではないかというふうに私は思うのです。

＊　西平重喜『日本の選挙』(至誠堂)、『世論反映の方法』(誠信書房)、『比例代表制』(中央公論社) 等参照。

＊＊　名簿式の比例代表制において、各政党に配分される議席数を決定するのに必要な当選商数 (基数) を算出するための方法の一つで、ベルギーのV・ドントが考案した方式〔『現代政治学小辞典』(有斐閣)〕。

●非人口的要素も二対一の基準の枠内で

芦部　第三番目の非人口的要素については、昭和五一年の最高裁判決で、三九年の最高裁の大法廷判決の場合よりも、さらに多くの要素も考慮要素として、国会が定数配分の際に考えてよいということを認め、非常に広範な非人口的要素を考慮することが許されるという趣旨の判断が示され、それは立法政策に任せられているという意見が述べられていたのですが、私は先ほどお話したような趣旨で、非人口的要素を考慮する必要はもちろんあると思いますけれども、しかしそれは第一次的な原則である人口比例の枠内で、具体的には二対一の基準の枠内で、考慮するというふうに考えないと、投票価値の平等原則の精神にもとるのではないかと思うのです。先ほどの質問に対する私の考えの大筋は以上のようなことです。

第4章　人権の制約と合憲性判定基準

(13) **博多駅フィルム事件**（トビラ写真――エンタープライズ寄港阻止を叫び機動隊と争う三派系全学連・朝日新聞社提供）

昭和四三年一月、三派系全学連学生が、米原子力空母エンタープライズ佐世保寄港阻止闘争に参加のため博多駅に下車した際、待機していた機動隊と衝突して、公務執行妨害罪で逮捕された事件である。

護憲連合等は、この警備実態につき、警察官に特別公務員暴行陵虐・公務員職権濫用罪があったとして告発したが不起訴処分となったため、付審判請求を行った。福岡地裁は、審理にあたってNHK福岡放送局ほかテレビ局三社に対し、刑訴法九九条二項に基づき博多駅事件を撮影したテレビ・フィルムの提出を求めた。

裁判においては、報道および取材の自由が争われたが、最高裁大法廷決定（昭四四・一一・二六刑集二三・一一・一四九〇）は、報道および取材の自由は憲法二一条に照らし十分尊重されなければならないが、公正な裁判の実現というような憲法上の要請があるときはある程度の制約を受ける、また、本件フィルムが証拠上きわめて重要な価値を有していると認められるので、報道機関はこの程度の不利益は受忍しなければならない、と判示した。

（憲法判例百選Ⅰ八〇頁）

(14) **「エロス＋虐殺」上映事件**

婦人解放運動家の神近市子さんは、現代映画社製作の「エロス＋虐殺」が、大杉栄を刺した「日蔭茶屋事件」を素材にしており、その上映により自己の名誉・プライバシーが侵害されるとして、上映禁止の仮処分を求めた。

東京高裁（昭四五・四・一三高民集二三・二・一七二）は、本件が表現行為の事前抑制にかかわるので、請求権の存否は慎重な比較衡量によって決すべきであるが、映画の中心素材はすでに世上公知のものであり、製作意図も低劣なものではない、として抗告棄却の決定をした。

（憲法判例百選Ⅰ七〇頁）

Ⅰ　二重の基準論の意義と問題点

●二重の基準論は公共の福祉論との関連で位置づける

村山　次に、人権の制約と合憲性判定基準という問題につきまして三つに分けてお伺いしたいと思います。最初に人権の制約を考える場合には、二重の基準ということがいわれて、精神的自由と経済的自由の制約では、合憲性の判定基準を違えて考えるという大きな枠組みが従来から主張され、ほぼ承認されているところと思いますが、この枠についても全く問題がないかといえば、そうではないように思われます。

まず二重の基準に対しては人権に序列をつけるものではないかという批判が一つありますし、福祉受給権や労働基本権をどのように位置づけて考えるかという問題なども提示されておりますが、この点からお伺いしたいと思います。

芦部　二重の基準の理論は、アメリカの一九三八年のカロリーヌ判決*と一般に呼ばれている判決で、初めて体系的にストーン判事によって打ち出されたものですが、それがその後判例上確立し、日本で昭和二〇年代にアメリカ法の研究者の研究を通じて憲法解釈論として導入され、その後多数の賛成者を得て、現在では最高裁判所の判例理論にも一応とり入れられている考え方であります。

この二重の基準の理論を考える場合に重要なことは、第一に、基本的人権は憲法上公共の福祉との関係で一定の制約があると考えられてきておりますが、この公共の福祉をどう考えるかについては、昭和二〇年代から今日に至るまでいろいろの学説を通じて種々の意見の対立がみられるのですけれども、その延長線上にそれとの関連で二重の基準の理論を位置づけることが必要だということです。

具体的にいえば、昭和二〇年代に公共の福祉があたかも伝家の宝刀のような形で人権制約の理論として使われたのですが、昭和二〇年代の後半から三〇年代になって、公共の福祉を二二条、二九条の経済的基本権に限定し、精神的自由権については内在的制約のみが許されるという形で整理する、法学協会編の『註解日本国憲法』のような考え方であるとか、公共の福祉をすべての人権に適用される原則であるとしながら、昭和四一年の全逓東京中郵判決に出ているように、それを内在的制約の原理というふうにとらえる考え方、その代表的な学説は昭和三〇年に刊行された宮沢先生の『日本国憲法コンメンタール』に見られますが、そういう考え方であるとか、とにかく二〇年代の考え方を修正する新しい意見が出てきたわけです。

しかし宮沢先生の内在的制約説は、確かに憲法解釈論として一つの画期的な意味をもつ優れた解釈論だと思いますが、具体的にそれぞれの権利の制約範囲をどう確定するのかという点は、判例の集積にゆだねられており、その点に宮沢説の一番大きな一つの問題があるように私には思われるのです。

その点で、内在的制約をそれぞれの具体的な人権について、どういう形で具体化していくか、それを明らかにするために二重の基準の理論がきわめて有用ではないかと思われるわけです。そういう意味で、二重の基準の理論を戦後の公共の福祉理論との関連で位置づけることが、一つの重要な論点ですから、その点をまずあらかじめお話しておきたいと思うのです。

＊ 芦部信喜『憲法訴訟の現代的展開』(有斐閣) 六八頁、等参照。

●代表民主制のシステムとの関連で人権の優劣をみる

芦部 そこで村山君の質問ですが、確かに二重の基準は、人権に価値の序列をつけ、精神的自由の優越性ということを主張する理論ですが、しかしそれは人権そのものに価値の序列があるという意味でないことに注意してほしいと思います。結果的にはそうなるのですが、それは、日本国憲法の政治組織の建前である代表民主制のシステムとの関連で精神的自由に優越性が認められることになるという趣旨です。つまり経済的自由権は代表民主制システムが正常に運営している限り、そのシステムによって不正・不当な人権侵害の法律を矯正し修正することが可能です。代表民主制という政治システムが基本原則ですから、法律の制定・改廃を通じて不正・不当な人権制限を直していくのが正道ですが、経済的自由権については、そういうシステムで矯正していくことが理論的には可能であるわけです。

ところが表現の自由を中心とする精神的自由権は、代表民主制のシステムが正常に機能するための基本的な前提で、表現の自由が不当に制約されますと、選挙そのものが公正に行われないことになりますし、選挙の自由公正が保たれないということになれば、国民意思を反映した代表者が選ばれるということも期待できませんので、そういう国会では、不当なあるいは不正な精神的自由を規制する立法を矯正、修正していくという歯車が正常に運営していないということになるわけです。つまり代表民主制のシステムそのものにゆがみが生じてしまっているということになるわけですから、そういう場合には裁判所が代表民主制のシステムを正常にするために積極的な役割を演ずる、つまり厳しい基準によって規制立法を審査する必要がある、そういう意味で精神的自由の優越性というものを考えていかなければならない、こういうことなのです。

ですから財産権も職業の自由も、思想表現の自由と同様に人間の生存あるいは幸福にとって必要不可欠な権利であるわけですが、しかし代表民主制との関連で違憲審査基準を考えると、そこに二種の段階が出てくる、こういうことです。特に財産権は、かつては、神聖不可侵と考えられたのですが、二十世紀になって職業の自由とともに人間の自由と生存全体との関連で国家による政策的な考慮による規制をする必要が強くなってきたことは、日本国憲法二二条と二九条で特に「公共の福祉」をうたっているところにも明らかですが、二重の基準の理論そのものは、価値の序列といっても、いま説明したように理解すべきではないかと思うのです。

●新しい問題を二重の基準論の中でどう位置づけるか

芦部　それからもう一つ重要な論点は、一九三八年のカロリーヌ判決当時に言われていた二重の基準の理論というのは、生存権を中心とする社会権まで広く視野に入れたものではなかったことです。ところが一九五〇年以降、人間の自由は、先ほども言いましたように複線的といいますか、一つの自由がいろいろの側面をもつようになってくるわけで、同じ自由権でも経済的自由権が同時に精神的自由の側面をもつというような形になってくるわけですが、そういうようなことが直接具体的には最初は視野に入っていなかったのです。

こういう新しい問題を従来の二重の基準の理論の中にどう位置づけるかということが最近特に大きく問題にされてきております。日本では昭和四七年に和歌山県教組事件(8)に関する最高裁大法廷判決がありますが、そこでは労働基本権が問題になったわけですけれども、この判決の打ち出した理論は後に昭和四七年に小売商業調整特別措置法に基づく小売市場の距離制限を合憲にした有名な判決(9)でとられた憲法判断のアプローチと同じ、いわゆる明白性の理論です。つまり労働基本権を経済的自由権と同じに取り扱うという考え方ですが、和歌山県教組判決でとられた明白性の理論は、その後、経済的自由権のみならず、猿払事件などの精神的自由権の領域にまで妥当するというような考え方が、裁判の過程では国側から主張されたことがあります。

村山永君

●労働基本権は精神的自由権により近づけて考える

芦部　しかし社会権は、労働基本権などにみられるとおり経済的な側面を強くもっておりますが、憲法二五条、二六条、二七条、二八条で保障されている社会権は人間の自由と生存と並べられて説かれているとおり、ただ単に経済的な自由に近い権利ではなくしてむしろ精神的自由にも近い、そういう重要性をもつ二十世紀的な権利であると考える必要があるわけですので、二重の基準の理論の中に位置づけるとすれば、むしろ精神的自由権により近づけて違憲審査基準を考えていくことが必要ではないかと思うのです。ただ生存権はあとでも問題になると思いますが、裁判規範性という点で自由権とやはり質的に違うわけで、法的権利と考えるにしてもプログラム性というものは否定できません。そうなりますと、そこでの違憲審査基準は当然異なってきますし、労働基本権は具体的裁判規範性をもつという点で生存権と違った取扱いをしてよいというのが一般の学説ですが、その場合、労働基本権については、やはり精神的自由に近づけて考える、これは具体的には全逓東京中郵判決の考え方をとるか、それとも全農林警職法判決の考え方をとるかということにも関連する問題です。すなわち、全逓東京中郵判決は労働基本権の問題ですけれども、内在する制約のみが許される、しかも必要最小限度でなければならない、ということをうたっておりますので、この考え方は精神的自由に関する考え方と非常に近いといいますか、それとほぼ同じと言うことができます。どういう基準をとるかはともかくとして、基本的な方向としては、私もそういうふうに考えるのが妥当ではないかと思っているのです。

Ⅱ　精神的自由の制限と公安条例

●表現の自由の保障には事前抑制の禁止の意味が含まれる

村山　精神的自由の制限についての問題に入りますが、ここでは公安条例の問題点についてお伺いしたいと思います。公安条例では集団行動に対して一定の要件のもとに許可制をしいている場合があるのですが、この許可制というのは事前抑制の禁止に触れるのではないかという疑問を当然もつわけです。また、公安条例の規制目的というものがなんであるのか、これによってそれにふさわしい制限の態様というものが導き出されるのではないかというふうに思うわけです。それらの点からお伺いしたいと思います。

芦部　公安条例については、昭和二〇年代から判例も大変数多く、いろいろ議論がありましたし、学説上も多種多様な考え方が展開されてきておりますので、そのあらすじは教科書なり判例解説なりに出ていることですが、しかし考えてみると難しい問題がなお残されており、いまの質問の点も非常に難しい問題に関連していると思います。

第一の質問の事前抑制の点ですが、表現の自由の保障の基本的な目的は、国家権力による事前の抑制を排除するというところにあるわけで、したがって、表現の自由の保障には、当然事前抑制の禁止という意味が含まれていると思うのです。日本国憲法では表現の自由の保障（二一条一項）と並んで検閲はしてはならないという規定（同条二項前段）があります。これはその趣旨を重ねて明示したというふうに解するのか、それとも事前抑制の禁止という一般原則に加えて、検閲はこれをしてはならないという別の原則を定めたと考えるのか、これは学説上意見が対立している点ですが、表現の自由の歴史を考えますと、事前抑制の禁止は当然検閲禁止の意味を含んでいると思うのです。現在、少なくともアメリカないし西ドイツでは一般にそう解されていると私は考えています。

●表現行動を表現の自由の体系の中でどう位置づけるか

芦部　そこで、公安条例ですが、これは許可制ないし届出制という制度で、表現の自由を事前に抑制しているわけですから、もちろん憲法二一条との関係で合憲性が問題になります。ただ、ここで問題になるのは、難しい論点の一つですが、いわゆる集団行進、あるいは集団示威運動という表現行動を表現の自由の体系の中にどのように位置づけて考えるかという問題です。

というのは、日本国憲法では集団行動を思想表現形態の一つとしてとらえておりますし、それがまた妥当な考え方と思うのですが、諸国の憲法では言論表現活動の自由の保障と別個の条文で集会結社の自由を保障しております。これは典型的には西ドイツ憲法をはじめイタリアなどヨーロッパ諸国に見られる考え方です。つまり同じ表現活動でも、言論表現の自由と集団示威運動、あるいは集団行進とは違うという考え方だと思うのです。アメリカでは同じ言論表現の自由の一形態としてとらえておりますが、それでも、デモ行進は一般の言論の自由とは異なるカテゴリーの行為として判例上あるいは学説上違う取扱いを受けてきております。

表現行為はだんだん概念的に広くとらえられるようになり、現在では営利的表現（コマーシャル・スピーチ）、すなわち広告等も言論表現の自由の一つの形態として厚く保障されるようになってきておりますが、かつてはコマーシャル・スピーチは、経済的自由に属するものと考えられて、言論表現の自由の保障を受けなかったのです。二重の基準の理論から言いますと、「優越的地位」を保障されず、むしろ緩やかな合理性の基準で判断されるものとされていたわけです。

● 事前抑制もフリードマン原則では許される場合がある

芦部　ところが、アメリカではその後、例えば映画などによる表現の自由も憲法修正一条の言論の自由の中に含まれるというふうに一九四〇年代の判例で変わり、その後、さらに映画のみならずコマーシャル・スピーチも最近では厚い保護を受けるようになってきたわけです。

しかし厚い保護は受けるのですが、映画による表現の自由とか、デモ行進による表現の自由は、一般の表現の自由と違って、ごく限られた事前の抑制は、適正手続が事後に保障されている場合には許される、というふうに判例では説かれるようになってきたのです。つまり、事後にすぐ裁判手続でその行政処分の違法性、違憲性を審査する道が開かれているというような条件が整っている場合に限って、それらの権利についての一定の許可制というものも、厳格で明確な基準のもとに定められている場合には許されるというふうに説かれるようになってきたのです。これが私も何回か書きましたが、一九六五年のフリードマン判決で明らかにされましたので、フリードマン原則*と呼ばれているものです。

ところが日本ではそういう区別をする考え方は学説上も判例上も明確に打ち出されているわけではなく、ただ昭和二九年の新潟県公安条例事件(10)をはじめ、その後の判例で、明確な厳しい基準により一般的な許可制でない限り一定の事前の抑制を定めることも許されると考えられているわけです。この考え方を表現の自由のシステムの中にどういうふうに位置づけるかということは、諸国の憲法と対比してみるとなかなか難しい問題ですが、立法目的との関連で考えれば一定の事前の規制も許されないわけではないと思われます。

＊ 戸松秀典「映画と言論の自由」別冊ジュリスト『英米判例百選I公法』一二〇頁。

●届出制で規制の立法目的は達成できる

芦部 ただ規制の態様との関係でこれが許されるか許されないかは、かなり問題があります。日本の公安条例では、許可制という制度がとられている場合が少なくないし、その場合の許可の基準も「公安を害するおそれ」というような、非常に不明確な基準で定められている場合があります。そういう条例ですと大変問題になるわけです。立法目的は、公安の確保というような治安立法的なものと考えるべきではないし、そういうものだと、そのこと自体で違憲性の疑いも出てくるからです。そうではなく、集団行動のもつ表現の自由としての重要性を認め、しかし道路交通の安全の保持、一般国民の静穏な生活の享受ということを考え合わせて、そこに一定の制約の可能性の根拠を見いだしていかなければならないと思われるのです。そういう立法目的との関連でいえば、規制手段としては許可制という行政法理論で従来説かれてきた方式をとる必要はないわけで、届出制という形で立法目的を達成するための事前の措置をとれば足りるのではないか、というふうに基本的には私は考えてきたわけです。要するに事前抑制といっても、集団行動の表現形態をどう考えるかということと、その立法目的をどう考えるかということとの関連で、公安条例の問題は考えていかなければならないのではないかと思います。

●治安立法的性格をもつ条例は問題である

岩東　その立法目的との関係でお伺いしますが、昭和二九年の新潟県公安条例判決でも例外的に許可制として禁止してもいいのだというような判断が出ていますけれども、これは立法目的が一般公衆の利用との調和のほかにもあり得ることを前提にしていると理解するしかないのですか。

芦部　あの判決をどう読むかということですが、許可制とか届出制とかいう言葉自体の問題になると、これはそれにとらわれる必要はないわけですね。許可制をとっていても、当該公安条例の規制方式が全体としてみて実質的に届出制と解される場合には、それは届出制的だと解して、事前抑制ではあるけれども憲法上認められると考えることができると思うのです。新潟県公安条例判決の場合には、公安条例自体が「公安を害するおそれ」というような漠然とした一般的基準を掲げておりますので、大変その点では問題ですが、二九年判決では三原則として、①明確な基準でなければならない、②一般的な許可制はいけない、③そして、明らかに差し迫った危険がある場合にはじめて取り締まることができる、というような基準が明らかにされ、新潟県公安条例もそれに適合すると解しうる限り合憲だとしておりますね。

ただ、この一般原則を明らかにした部分は正当だとしても、よく学説で指摘されていることですが、それを新潟県公安条例に適用して、条例そのものを合憲にしたのは適切でなかったのではないかという問題があるわけです。それはいまお話したことですが、条例自体が三原則に合わないような漠然不明確な規定を置いておりますので、その点で問題だという趣旨です。それはつまり、条例自体がいま質問で言われたとおり治安立法的な性格をもっていると解されるということで、その限りで問題だということなのです。

Ⅲ 経済的自由の制限

●規制目的が規制のあり方を区別するメルクマール

村山 経済的自由の問題で、経済的自由の制限も最近では「消極目的の規制」と「積極目的の規制」とに分けて、それぞれに合憲性判定基準も、消極目的のほうに対しては厳格な合理性の基準、積極目的の規制に対しては単なる合理性の基準というふうに分けて考える枠組みがとられているようですが、このような枠組みをとった場合には、公に述べられた立法目的が積極目的である場合に、いわば社会国家的配慮というような美名のもとに、あらゆる規制が正当化されてしまう恐れはないのかという疑問を抱くのですが、いかがでしょうか。

芦部 判例では、昭和四七年の小売商業調整特別措置法に関する判決と、昭和五〇年の薬事法に関する判決[11]で、一応消極目的と積極目的とに分けて、消極目的による規制立法の場合には厳格な合理性の基準、積極目的による規制立法の場合には明白性の原則が妥当するとされ、後者の場合には立法裁量を広く認めるという趣旨の考え方が明らかにされたわけですが、いま質問にあったとおり、積極目的と消極目的という目的だけで規制のあり方を区別し、それに対応して違憲審査基準を変えるような考え方が果たして妥当かどうか、という疑問は確かに成り立ち得るし、学説でもそういう観点からかなり判例に批判的な意見もあります。

しかし規制目的が社会国家政策を推進するための積極的なものか、それとも現に存在する社会的な害悪を除去するための消極的な警察目的か、という点で分けることは十分可能だと思いますし、規制のあり方を区別するとすればその点が一番大きな問題になると思うのです。ただし、やはり立法目的に一定の積極目的を掲げれば、それでその規制が広い立法裁量に属するとして合憲になるというのでは問題ですから、その点をカバーするために、西ドイツの憲法判例で説かれているような、規制の態様による区別を加味して、全体として経済的自由の規制のあり方を区別していくということが必要になる場合が出てくると思うのです。規制の態様のあり方というのは、例えばアメリカでもそうですが、競争制限のような場合ですと、具体的には非常に厳格に規制の合憲性を審査するということになります。

ところが資格制限という態様での規制、これは日本でも非常にたくさんありますが、そういう場合ですと、規制の審査をもう少し緩やかにしてもよいという考え方です。規制目的だけでなく、こういう規制態様による区別を加味していくことが必要になるかと思うのです。しかし、規制目的が経済的自由の規制のあり方を区別する基本的なメルクマールではないかというのが私の考え方ですし、判例はそれにポイントを置いているわけです。その点に問題があるということは村山君の質問のとおりです。

Ⅳ　合憲性判定基準論と比較衡量論

●比較衡量のハカリは国家権力の側に有利に働く

岩東　総論的な話になるのですが、合憲性判定基準論と比較衡量論との関係はどのように理解したらよろしいのですか。

芦部　二重の基準の理論のところでお話したとおり、人権と公共の福祉の関係についての考え方が戦後いろいろ変わってきているわけですけれども、その中で昭和三〇年代に公共の福祉という漠然とした基準を用いないで、比較衡量の基準で人権制約の合憲性を判定するのが妥当ではないかという比較衡量論が有力な学説として主張されるようになってきました。

この比較衡量の考え方はいろいろな判例の中にも用いられています。いちばん有名な例としては、地裁の判決ですけれども「宴のあと」事件[12]でプライバシーと表現の自由との比較衡量とか、あるいは最高裁判例では、博多駅の取材フィルム提出命令事件[13]で公正な裁判、つまり被告人の公正な裁判を受ける権利と報道機関の報道の自由の比較衡量というような形で具体化されています。さらに全逓東京中郵事件でも比較衡量論がその中に取り入れられているわけで、判例では四〇年代になっても比較衡量論がいろいろな形で用いられてきているわけです。

ところが注目すべきことは、学説で昭和三〇年代に出た比較衡量論というのは、あらゆる人権の規制立法について原則として比較衡量によって合憲・違憲を判定すべきだという考え方であったということです。これは権利・自由に性格の違いもありますので、二重の基準の考え方から言いますとやや単線的にすぎる考え方のように思われます。さらに比較衡量論でいちばん問題になるのは、人権は国家権力と国民との関係で主として問題になるわけですから、その場合に比較衡量ということになりますと、ハカリが常に国家権力側に有利に働く可能性が大きい。そこでよほど比較の基準というものを明確にしないと、比較衡量論というのは合憲性を裏付けるような働きをするおそれが多分にあるということです。

アメリカの判例理論でも、比較衡量論は二重の基準の理論が浸透するに伴ってだんだんと一部の領域に限定して使うようになり、明白かつ現在の危険の基準とか、その他の違う基準が特に精神的自由の領域で用いられるようになってきたわけです。

(12)「宴のあと」事件（写真――昭和三七年七月一三日、喚問を終えて東京地裁を出る三島由紀夫・朝日新聞社提供）

わが国ではじめてプライバシーの権利が実定法上の法益として認められた事件である。

元外務大臣有田八郎氏は、三島由紀夫の小説『宴のあと』が一読すれば原告をモデルにしたことが分かる小説であるとして、プライバシーの侵害を主張して三島および出版元の新潮社を相手取って謝罪広告と損害賠償を請求した。

東京地裁（昭三九・九・二八下民集一五・九・二三一七）は、プライバシー権は「私生活をみだりに公開されないという法的保障ないし権利」と理解されるから、その侵害に対しては不法行為として民法七〇九条の保護を受ける、また、表現の自由とプライバシーの権利とは、いずれが優先するという性質のものではなく、言論、表現等は、他の法益すなわち名誉、信用などを侵害しない限りでその自由が保障されるものである、と判示した。

（憲法判例百選Ⅰ 六八頁）

●比較衡量論は同じ程度の重要な権利の調節に限定される

芦部　ですから、日本でも比較衡量論が全面的に排除されるわけではないと私は思うのですが、その領域は国家権力が二つの権利の仲裁者として働く場合に原則として限定されるというふうに考えるべきではないかと思うのです。

二重の基準の理論からいいますと、精神的自由の領域でも、内心の自由と外面的な精神的な自由の二つに分けなければなりませんが、その外面的な精神活動の自由、つまり表現の自由も内容規制の場合と時・所・方法の規制の場合と違うわけです。そして内容規制の場合でも、それが政治的表現か、あるいはコマーシャル・スピーチかということで違うわけです。

しかし原則として内容的規制と時・所・方法の規制というふうに大別され、前者については、例えば「明白かつ現在の危険」というような厳しい基準が適用される。また営利的表現（コマーシャル・スピーチ）でも内容規制ということが問題になれば、アメリカの憲法判例に言うコンペリング・インタレスト、つまり立法目的の必要不可欠性が要求されるかなり厳しい基準によって考えられなければならないのです。内容規制でなく、時・所・方法の規制のような場合には、若干緩やかな基準、つまり、「より制限的でない他の選びうる手段」の基準（LRAの基準）が適用される。そしてコマーシャル・スピーチの場合も、コンペリング・インタレストという強度の立法目的は必要ではなく、サブスタンシャル・インタレストがあればよいし、規制手段が必要最小限度という点も要求されなくなってくる。

こういうように、同じ表現の自由でも類型の違いに応じて違憲審査基準が異なるわけです。

ところが、先ほどお話したとおり、表現の自由と名誉とか、表現の自由とプライバシーとかという二つの同じ程度に重要な権利の調節が問題になることがあります。例えば、日本の判例で言えば「宴のあと」事件もそうですが、神近市子さんのモデル映画が問題になった「エロス＋虐殺」上映事件[14]、これは映画の差止請求の事件で、そこで問題になったのは、神近さんのプライバシー・名誉と映画会社の報道の自由の調節ということであったわけです。

その両者をではどういうふうに調節するか。差止請求ですと事前抑制の問題も絡まってくるわけですけれども、それはともかく、二つの権利を調整する場合の基準を考えてみますと、明白かつ現在の危険の基準もＬＲＡの基準も適用できない、そういう場合には国家権力、この事件では裁判所ということになるわけですが、裁判所が第三者的な立場で比較衡量しなければならない、こういう意味の比較衡量論は基準としても残るのではないかと思います。

●権利の調節に働く比較衡量と利益衡量は次元が違う

芦部　もう一つ、広く利益衡量ということがよく言われますが、利益衡量を憲法判断の中から排斥されるというふうに考えるべきではなくて、明白かつ現在の危険の原則を適用する場合でも、LRAの原則を適用する場合でも、その範囲内で利益の衡量という要素は当然に入ってくると私は思うのです。そういう意味の利益衡量は今のプライバシーと表現の自由との比較衡量の場合の比較衡量とは違う次元の利益衡量です。権利の制約の許容を考える場合には多かれ少なかれ利益衡量をしなければならないと思うのです。

特に、憲法判断には二つのアプローチ、①事実判断のアプローチと②文面判断のアプローチがあります。つまり、具体的な事実、これは個別的な事実もありますし立法事実という一般的な事実もあるのですが、そういう事実を検証してそれとの関連で合憲・違憲という結論を導き出す事実判断のアプローチと、そういう事実の検証ということを必要としないで、例えば、検閲に当たるかどうかとか、この条文は漠然不明確ないし過度に広範であるからそのこと故に違憲かどうかとかいう——いわゆる明確性の理論が妥当するのかどうかを検証するような場合ですが——そういう文面判断のアプローチをとる場合の二つがあるのです。

後者の場合には、文面上違憲（void on its face）という判断が出る可能性が出てきます。そういうふうに分かれているのですが、通常、いま問題にしている表現の自由の違憲判断基準の場合には、検閲に当たるかどうかとか、過度に広範かどうか、漠然不明確かどうかというような場合は、文面判断のアプローチが妥当しますけれども、明白かつ現在の危険とかLRAの原則が問題になるような場合には、事実判断のアプローチが妥当し、立法事実の検証が原則として問題になるわけです。そういう場合ですと、その範囲内での利益の衡量が問題になるのです。そういう利益衡量と先ほど言ったものとは区別して考える必要があると思います。

(8) 和歌山県教組事件

和歌山県公立学校教職員組合の執行委員長・書記長らが申請した専従休暇に対して、市教育委員会等は、さきに懲戒免職された者らが組合の執行部を構成している教職員組合は不適当であるとの理由で承認を与えなかったので、同人らは、この処分が憲法二八条に違反するとして訴を提起した事件である。

一審、二審とも専従休暇不承認は違法であるとしたが、最高裁大法廷（昭四〇・七・一四民集一九・五・一一九八）は、同人らの請求は原審継続中に専従休暇期間が経過したことにより訴の利益を喪失したとして、請求を棄却した。裁判においては、地方公務員法五二条一項およびその合憲性が論じられた。

(9) 小売商業調整特別措置法判決

小売商業調整特別措置法三条の許可規制は都道府県知事によってなされるが、許可基準の一つである過当競争防止について、大阪府では内規で七〇〇メートルの小売市場間の距離制限を設けている。M株式会社らが、指定地域内に、大阪府知事の許可を受けずに、小売市場の目的で建物を建て店舗として貸し付けたことに対して起訴された事件である。

被告人らは、許可規制および距離制限が自由競争を基調とする経済体制に反し既存業者の独占的利潤追求に奉仕するものであるとして、憲法二二条一項を理由に争ったが、最高裁大法廷（昭四七・一一・二二刑集二六・九・五八六）は、個人の精神的自由の場合と異なって、個人の経済的活動の自由に関する限り、社会経済政策実施の一手段として合理的規制措置を講ずることは憲法の許容するところであり、当該法的規制措置が著しく不合理なことが明白な場合にのみ違憲としうる、として上告を棄却した。

（憲法判例百選Ⅰ 一一二頁）

（10）新潟県公安条例事件

被告二名が、密造酒取締り一斉検挙に抗議して無許可で集まった二、三百名の集団を指導したとして、新潟県公安条例違反に問われた事件である。

最高裁大法廷（昭二九・一一・二四刑集八・一一・一八六六）は、公共の秩序を維持するために、特定の場所または方法につき合理的かつ明白な基準の下に予め許可を受けさせることは憲法二一条の保障する表現の自由に反しない、また同条例も全体の趣旨からみて憲法に反しない、と判示した。

（11）薬事法に関する判決

株式会社Kは、医薬品の一般販売業を営むため営業許可を広島県知事に申請したところ、薬事法および県条例の定める適正配置基準に反するとして不許可処分となったので、右法規は憲法二二条一項に違反するとして訴えた事件である。

最高裁大法廷（昭五〇・四・三〇民集二九・四・五七二）は、薬局の適正配置（距離制限）を定めた薬事法六条二項・四項は不良医薬品の供給防止等の目的のために必要かつ合理的な規制を定めたとはいえないから、憲法二二条一項に違反し無効である、と判示した。

（憲法判例百選Ⅰ 一一四頁）

第5章　生存権の保障について

(15) 朝日訴訟（トビラ写真——遺影を抱いて敗訴の報告をする養子夫妻・朝日新聞社提供）

肺結核で国立岡山療養所に入院していた朝日茂さんは、生活保護法に基づく現物による全部扶助の医療扶助と月額六〇〇円の日用品費の生活扶助を受けていた。ところが長年音信不通であった実兄がみつかり、実兄から毎月一、五〇〇円の送金を受けるようになったため、津山市社会福祉事務所は、昭和三七年七月一八日付で、仕送りの一、五〇〇円のうち六〇〇円を従来生活扶助として支給していた日用品費に充当し、残り九〇〇円を医療費の一部として朝日さんに負担させる措置をとった。これに対して朝日さんは、これではせっかくの仕送りの意味がないとして岡山県知事および厚生大臣に不服申立てをしたが却下されたので、日用品費六〇〇円では憲法二五条および生活保護法の規定する健康で文化的な最低限度の生活を維持できないとして、厚生大臣の裁決取消しを求める訴を提起した。

一審は、日用品費六〇〇円では健康で文化的な生活を維持できない、として朝日さんの請求を認めたが、二審は、六〇〇円では低すぎるが違法とまではいえないとして一審判決を取り消した。そこで朝日さんは上告したが、病気が悪化して死亡したため、その養子夫妻が相続人として訴訟を承継した。

最高裁大法廷（昭四二・五・二四民集二一・五・一〇四三）は、①生活保護受給権は一身専属の権利であり相続の対象とはなり得ないから、本件訴訟は朝日さんの死亡により終了した、②憲法二五条は、国の責務として宣言したにとどまり、その具体的権利は生活保護法によってはじめて与えられ、その基準は厚生大臣が認定する、③生活保護基準は、多数の不確定要素を総合的に考慮して決定できるものであるから、その認定は厚生大臣の裁量に委ねられており、その判断の当不当が政治責任として問われることがあっても、直ちに違法の問題を生ずることはない、と判示した。

（憲法判例百選Ⅱ二二四頁）

I　生存権の法的性質

●問題の分かりにくさは複雑な学説の対立にある

山田　生存権の保障についての最初の問題は、生存権の法的性質であると思います。生存権の法的性質に対する議論が詰められることがないまま現在に至っているのではないかと思われますので、憲法上の生存権の法的性質をどう考えるべきかをお伺いしたいと思います。

芦部　生存権の法的性質が十分詰められていないというのはいろいろな意味があるかと思うのですが、理由というよりも詰められていないという点はどこかというと、一つは権利の性格をプログラム性のものと見るか、それとも法的権利と見るかというところです。もう一つは先ほど問題にした、仮に二重の基準という枠組みでその権利の制約の妥当性を考えるとした場合に、生存権を、あるいは広く社会権をその中にどういうふうに位置づけるかという点が必ずしもまだ明確でないということだろうと思うのです。恐らく第一の点がここでの問題だろうと思うのですが、この点は研究が詰められていないというよりも、ほかの権利についてもよく問題になっているとおり、学説が大きく分かれているという点ではないかと思うのです。

これは朝日訴訟(15)を特に契機としていろいろ議論されてきましたが、現在でも二五条の生存権については、いわゆるプログラム規定説と法的権利説とが大きく対立しています。しかし法的権利といっても、具体的な権利性までもつと考える説もありますし、法的権利だけれども、それは一般的、抽象的な権利であると考える説もあるわけです。若干学説が入り乱れており、学生諸君には分かりにくいところがあるのではないかと私も思うのです。

特にプログラム規定という場合、これも解説書などに説かれていることですが、プログラム規定積極説、プログラム規定消極説というふうにプログラム規定性を強く主張する説とかなり消極的に説く説と二つあるという形で分けるものですから、学説が四つに分類されるわけですが、この学説の対立の具体的な意味は必ずしも明確ではない。その辺が憲法を勉強する場合に、学生諸君にも分かりにくい問題の領域の一つではないかと思うのです。

●生存権は理念的・一般的性格の法的権利である

芦部　そこで私が若干コメントしますと、基本的にはこれはプログラム規定か、法的権利かということで分けられるのですが、法的権利といっても、具体的権利性、すなわち裁判規範性まで憲法二五条そのものに求めることは困難だと私は思います。

二五条の生存権の法的性格を法的権利と考えるとしても――私もそう考えますが――それは理念的・一般的性格の法的権利であって、いわば国家権力に対して努力義務を課する規定だというふうに解されますので、やはり裁判で争う場合には二五条だけを根拠にしては争えないのではないかというふうに思うのです。ただ法的権利性というものをそういう形で認めますと、国家権力をその限りで拘束する度合いが強くなりますし、またその限りでそれを整備する立法義務、行政上の取扱いに対する拘束というものも出てきますので、決して無意味ではありません。

例えば、朝日訴訟で問題になったような生活保護法の問題を考える場合に、二五条と生活保護法とを合体して、そこで権利性というものを導き出すということもできる。つまり生活保護法がなかったら二五条の生活保障を受ける権利は抽象的でありプログラム的である、というようなプログラム規定説で問題になることを論じないで、二五条を具体化した各種の社会保障立法の存在を前提とし、二五条と生活保護法とを一体として見ながら、そこから一種の具体的権利性を導き出すというような解釈をとることも可能になるのではないかと思うのです。これは朝日訴訟最高裁判決の補足意見で展開された考え方で、私もそういう趣旨の意見を書いたことがあります。こういう意味で、詰めは必ずしも十分でないといえば十分でないし、分かりにくい点もあるかもしれませんが、これは学説の対立ということで理解されたらと思います。

Ⅱ　憲法二五条一項・二項分離論

●一項・二項を一体的にとらえるのが正当である

山田　先の生存権の法的性質では、朝日訴訟を取り上げましたが、次に堀木訴訟[16]を取り上げまして、その第二審で主張された憲法二五条の一項・二項分離論、最高裁で主張された一項・二項一体論の説明とその意義の問題、そして平等原理と併給禁止条項の問題についてお伺いしたいと思います。

芦部　堀木訴訟という併給禁止が問題になった訴訟が裁判所に係属し、第一審、二審を経て最高裁判決が昭和五七年七月七日に下され、事件は終結したわけですけれども、この訴訟の過程で、第二審で憲法二五条の一項と二項を分断して考えるという説が初めて出ました。この考え方は学説ではそれまで全く説かれていなかったものですが、昭和四三年七月一五日に東京地方裁判所から判決の出た牧野訴訟[17]以来、国側が終始この種の訴訟で主張していた考え方です。堀木訴訟の第二審判決以後同じような種類の事件で同じような立場をとる判決が少なくなかったのですが、学説では大変これは厳しく批判された考え方であったわけです。

この考え方は、二五条はプログラム規定であるということを前提として、二項は国に事前の積極的な防貧政策をなすべき努力義務のあること、一項は二項の施策の実施にもかかわらず、なお落ちこぼれた者に対して国が事後的、補足的且つ個別的な救貧施策をなすべき責務のあることを、それぞれ宣言したものであるとして、二五条二項に基づく各施策の目的と役割機能の決定は立法裁量に委ねられており、違憲と判断するためには「立法府が恣意によるなどして、判断を著しく誤り、その裁量権を逸脱し、憲法に違反することが明白でなければならない」というふうに解する考え方です。

しかしこの一項・二項分離論は昭和五七年七月の最高裁判決で否定されました。その判決をコメントした際に私も書きましたが、一項・二項分離論をとりますと、二項の防貧施策を争うことがほとんど不可能になるわけですし、最高裁の判決でも言われているとおり、「二項によって国の責務であるとされている社会的立法および社会的施設の創造拡充により個々の国民の具体的・現実的な生活権が設定充実されてゆくものである」というふうに、一項と二項とを一体的にとらえて解釈していかなければならないのではないかと思います。いずれにしても、一項・二項分離論はかなり下級審で使われたり、国側の主張の中にも強く出てきた議論ですが、二五条の解釈論としては正当でないし、最終的には最高裁の判例でも否定されている考え方です。

●併給問題は厳格な合理性基準で審査するのが妥当

芦部　もう一つ質問に出た平等原則と併給禁止の関係の問題ですが、これは大変難しい問題です。併給禁止といってもいろいろのタイプのものがありますし、そしてまた二五条が先ほどお話したとお

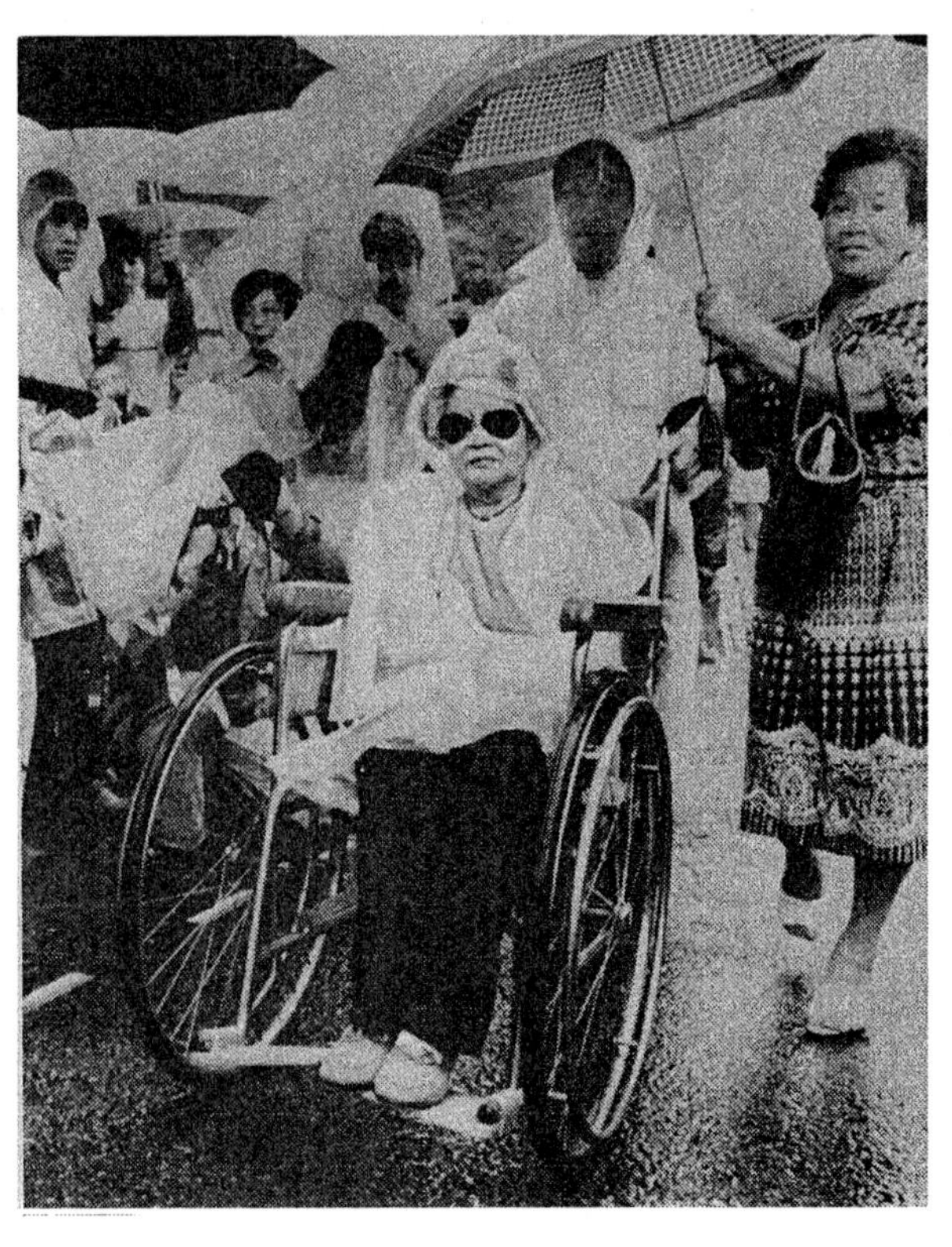

（16）**堀木訴訟**（写真――最高裁判決を前にした堀木フミ子さん・朝日新聞社提供）

視力障害者の堀木フミ子さんは、国民年金法により障害福祉年金を受給していたところ、夫と離婚後次男を養育していたので、昭和四五年、兵庫県知事に対して児童扶養手当法に基づく児童扶養手当の受給資格の認定を請求したが、同法（昭和四八年改正前）四条三項三号の併給禁止条項に該当するとして却下され、さらに異議申立ても同様の理由で棄却された。そこで堀木さんは、併給禁止条項は、憲法一三条、一四条一項、二五条二項に違反するとして、却下処分の取消しを求めて訴を提起した。

一審は、併給禁止条項は憲法一四条一項に違反し無効であるとして、処分の取消しを認めた。しかしその後、児童扶養手当法の右条項が改正されたにもかかわらず、兵庫県知事は併給禁止は立法裁量に属するとして控訴した。大阪高裁（昭五〇・一一・一〇行集二六・一〇＝一一・一二六八）は、①本件併給禁止条項は、裁量権の行使を著しく誤り、またその濫用があったとは認めがたいから、憲法二五条二項に反しない、②本件併給禁止条項による差別的取扱いには合理的理由が認められ、憲法一四条一項に反しない、として原判決を取り消した。そして最高裁大法廷（昭五七・七・七判時一〇五一・二九）も、広い立法裁量論を援用して高裁判決を支持した。

（憲法判例百選Ⅱ二二八頁）

り法的権利を保障しているといっても、それは抽象的・理念的な権利であって、プログラム性は否定できないものですから、そういう権利が実定法との関連で平等原則違反で問われた場合に、平等原則がどういう形でかかわってくるのか、こういう問題に一般的にいえばなるわけです。

最高裁は、二五条のプログラム性を前提にして、一四条違反の平等原則がかかわってくる場合でも立法裁量論が広くそこに働くという観点から、緩やかな基準で判断するという立場をとったわけですが、私は判決を論評したコメントでは、二五条はプログラム性のかなりある法的権利としての生存権保障であっても、それが平等原則違反という形で争われた場合には、憲法上の生存権も実定法によって実定化されているわけですから、先ほど経済的自由権のところで問題になった、厳格な合理性基準で審査するのが原則として妥当ではないかというふうに考えたのです。

ただ最初にお話ししたとおり、併給禁止のあり方は、いろいろなタイプがありますし、社会保障法の考え方でそれをどういうふうに整理するかという問題もありますので、この具体的な事件（堀木訴訟）で問題になった障害福祉年金と児童扶養手当の併給禁止をどう考えるか、つまり同じ性格のものかそれとも違った性格の社会保障で非競合的な関係にあるのか、ここのところに一つのポイントがあると思うのです。

そのあたりが国側の主張と第一審の考え方、あるいは社会保障法学者の考え方との間にかなり大きな違いがあるところです。それをどう考えるかによって、同じ厳格な合理性の基準を適用するという前提で考えても、違憲か合憲かという結論は違ってくる可能性があると思うのです。そして仮に障害福祉年金と児童扶養手当との併給禁止は認められないという考え方が妥当だとしても――私はそう考えますし実際にもそういう法改正がなされたわけですが――ほかの併給禁止が全部同じように考えられるわけではなく、そこにはいまお話したような問題があるのです。

Ⅲ　憲法二五条と一三条の関係

●権利は個別的・具体的な条項に根拠を求めるのが妥当

山田　一般的に憲法一三条は第三章の基本的人権の総則規定であるというふうに言われますが、二五条はその場合どういうふうに考えればいいのか、つまり二五条と一三条の関係を問題にして、先生にご意見をお聞きしたいと思うのですが、いかがでしょうか。

芦部　生存権との関係で二五条と一三条を問題にするとすれば、生存権は二五条に保障されているわけですから、あえて一三条を引く必要はないということになると思うのです。ただ一般的にいって、一三条とほかの権利との関係をどう考えるかという問題はあるわけです。その場合に原則としては権利は個別的・具体的に保障されたそれぞれの条項によってその憲法上の根拠を見いだしていくのが妥当であって、それ以外にもし権利が問題になった場合に、憲法上の根拠を求めるとすれば、それは一三条だというふうに思いますので、あえて生存権との関係で一三条を持ち出す必要性は認めないというのが私の立場です。

山田　では、憲法二五条を社会権の総則的規定と考えた場合は、一三条と二五条の関係はどのようになるでしょうか。

芦部　二五条を社会権の総則的規定というふうに考えてもいいわけですけれども、しかし二五条一項は「健康で文化的な最低限度の生活を営む権利を保障する」と定めて、生存権を保障しているわけですから、その生存権の保障と別に、教育を受ける権利とか労働基本権が生存権との関連で問題になることはありますが、ただ総則的規定かどうかということと一三条を援用しなければならないかということとは、この場合は特に関係はないと思うのです。

例えば二五条で新しい人権としての環境権が問題になった場合に、二五条は生存権ないし社会権の規定ですから、自由権的側面を強調する意味で、むしろ一三条を援用する、一三条にその根拠を求めるという学説も一部に有力ですが、そういう問題は別にして、生存権プロパーの問題として考えた場合には、総則的規定であるということは特に一三条を根拠とするかしないかということとは直接関係がない、もちろん一三条を引いてもいいけれども直接関係はない、こう思うのです。

●憲法一三条は裁判規範性をもつ

芦部　もう一つ、基本的には一三条の裁判規範性を認めるかどうかということと関連しますが、一三条が裁判規範であるとしてもそれは自由権の一般的・包括的な権利を保障した規定だと解釈し、生存権・社会権は二五条以下に限定されると解するか、という問題はありますね。その場合に二五条の意味を総則的規定だということがどういう趣旨かよく分かりませんが、もう少し広くいろいろな社会権的な規定の、いわば一般条項に当たるような意味を含めて解するかどうかという問題はあると思うのです。

私は一三条は裁判規範性をもつと考えます。これは判例でも認められているとおりです。そして一三条は、包括的・一般的基本権条項である、だから新しい人権の憲法上の根拠を求めるとすれば一三条である、というふうに考えております。その場合にそれを自由権に限定するか、社会権をもそれに含めるかということは、学説でもいま対立のある一つの問題点ですが、私はあえて自由権に限定する必要はないであろうというふうに考えております。

ですから社会権を一三条の根拠としてもいいのではないかと思うのですが、しかしその点は、原則として個別的な具体的な人権を保障した規定で解釈し得る限りそちらで解釈するというのが私の基本的な考え方です。例えば、知る権利というのも、一三条だとか二五条とかいろいろ憲法上の根拠を援用する説がありますが、もちろんそれを援用してもいいのですけれども、私は二一条の表現の自由の現代的な発現形態というふうに、専らといっていいほど二一条を根拠にして、知る権利の特色を明らかにしたいと考え、あえてそれをさらに裏づけるとすれば国民主権の原理というような基本原則が援用される程度で、それ以外にいろいろの条項を援用することには、これは一般的な問題かもしれませんが、必ずしも賛成でない、できる限り個別的・具体的な条項で解釈していくという考え方です。

Ⅳ　ニュー・プロパティー

●ニュー・プロパティーは二九条の財産権と直結して考えるべきではない

山田　次に生存権の問題である福祉受給資格を、生存権ではなく、新しい財産権としてとらえ、それゆえ自由権の範疇に入るのであるから、生存権の法的性質で問題となったプログラム規定性が排除され、より一層の保障がなされるという考え方、いわゆるニュー・プロパティーについてお伺いしたいと思います。

芦部　ニュー・プロパティーとして福祉受給権をとらえる考え方は、アメリカでライク（C. Reich）という学者が一九六〇年代に主張した考え方で、大変サジェスティブですが、これはアメリカ法での考え方でもありますし、アメリカでも福祉受給権がニュー・プロパティーとして一般的にとらえられているわけではないのです。つまり「新しい財産権」という形で生存権が具体的な裁判規範性をもった権利として憲法上保障されているというわけではないのです。これは、社会保障法という法律で具体化された福祉受給権と組み合わせた形で、憲法上のニュー・プロパティーだと主張された考え方で、判例で確認されたわけではありません。判例で問題になったのは、福祉受給権の平等原則違反の問題です。ですから日本にその考え方を取り入れても、それは直ちに二五条の具体的権利性と結びつくわけではないと私は思います。

ただそういう観念でとらえることによって、生存権の性格を明らかにしていくという意味は十分ありますし、先ほど生存権を中心とする社会権を二重の基準の理論の中に位置づける場合にどういうふうに考えるかというようなことを申しましたが、ニュー・プロパティーという観点で考えたときにそれも一つの問題点を提供していると思うのです。ただ私はあまりプロパティーという点を強調すると、生存権は財産権である、経済的自由である、というふうに経済的な側面だけで問題が考えられていくことになるのではないか、これは労働基本権の場合によく昔から問題になっておりますが、そういう考え方を貫きますと、昭和四七年の和歌山県教組判決のような「明白な原則」が妥当するような考え方にも連なりますので、ニュー・プロパティーに言うプロパティーを二九条の財産権と直結して考えるのは問題であると思います。

というのは、中世時代からプロパティーという概念は財産とは直結しない、昔は人権一般のことをプロパティーというふうに言ったわけです。ところがプロパティー概念が変わってきて、近代憲法のもとでは財産権というふうに訳されて経済的自由となったわけです。ですから最近アメリカで言うニュー・プロパティーは日本国憲法二九条で言う財産権と同じ意味の財産と考える必要もないし、考えるべきではなくて、いわば「新しい権利」というような意味でとらえたほうがいいのではないか、と思うのです。

(17) 牧野訴訟

牧野亨さんは、満七〇歳に達し国民年金法八〇条二項により老齢福祉年金を受給することになったが、すでに配偶者にも同様の年金が支給されていたので、北海道知事は、同法七九条の二第五項の定める夫婦受給制限によって、夫婦ともに支給額のうち三、〇〇〇円の支給停止を決定した。この決定に対して牧野さんは、夫婦受給制限条項は、憲法一三条、一四条に違反するとして、決定の取消しを求めて訴を提起した。

東京地裁（昭四三・七・一五行集一九・七・一一九六）は、憲法一四条は老齢福祉年金のような無拠出で国から支給される経済的利益についても保障しており、合理的理由がない限り差別してはならないとして、夫婦受給制限条項は憲法一四条に違反すると判示した（なお、この裁判で問題となった夫婦受給制限条項は、昭和四四年法律八六号により削除された）。

（憲法判例百選Ⅱ二二六頁）

第6章　いわゆる新しい人権について

(19) **伊達火力発電所事件**(トビラ写真・毎日新聞社提供)

北海道電力は、昭和四八年六月、北海道伊達市長和地区に、出力三五万キロワットの発電機二基を備えた火力発電所の建設に着手したところ、これに対し伊達市ならびにその周辺の住民が、環境権、人格権、土地所有権、漁業権等を理由に発電所の建設、操業の差止め等を求めた事件である。

札幌地裁(昭五五・一〇・一四判時九八八・三七)は、①憲法一三条、二五条は綱領的規定であって具体的請求権ではない、②立法による定めがない現状では環境権の内容および範囲が不明確である、③環境問題は民主主義の機構を通して決定されるべきである、として環境権に基づく差止請求を却下した。

I　憲法と新しい人権

●新しい権利は判例で創設される

村山　それでは最後に、いわゆる新しい人権というものをめぐる問題についてお伺いしたいと思います。

岩東　新しい人権についてですけれども、先ほどのお話ともかなり重複するとは思いますが、近ごろプライバシー権とか環境権とか新しい人権を憲法上の権利として認めようという主張がかなり有力になってきていると思います。しかし、どんどん新しい人権を認めていくと憲法上の権利自体の重みが薄くなるのではないかという危惧とか、また、そもそも憲法上の権利とするか、そうではなくて何らかの法的保護に値する利益にすぎないとするのかで、いったいどのくらいの違いが出てくるのかという点についてのお話をお伺いしたいと思います。

芦部　これは最近の憲法問題の一つの重要な焦点ですが、いま言われたことに関連して申しますと、新しい権利があまりにもできると従来の権利の重みが少なくなるというような考え方もあります。しかし、厳格な基準の下で新しい権利が創設されていくこと自体は、人権というものは元来歴史的な性格のものですし、アメリカ憲法のように古い十八世紀の憲法の下ですと、修正一四条に、「生命、自由、財産を適正な法の手続によらなければ奪うことはできない」という規定の自由の概念を広げることによって社会の進展に適応していくという試みがいままでなされてもきたわけで、その点の当否はいろいろ問題もありますけれども、権利が創設されるということ自体は、従来の伝統的な権利の重みを直ちになくすというか、少なくするということにはならないと思うのです。

ただ、いまおっしゃったとおり、あまり基準もないままに新しい人権としてプライバシーを初め、環境権、眺望権、日照権、嫌煙権、その他の権利が創設されていきますと――いまここで問題になるのは立法ではなく判例で創設される場合のことですが――そこに裁判官の主観的な意欲の作用も働きますので、それによって司法のあり方が問われるおそれも出てきます。ですから、どういう状況になった場合に人権として保障されるというふうに考えるか、というところにいちばん問題があると思うのです。

●憲法上の人権と考えられる場合は裁判所に救済請求できる

岩東　法的に保護に値する利益に止まるのではなくて、さらに憲法上の人権だということはどういう違いが出てくるのでしょうか。

芦部　法的に保護に値する利益という場合と、それが憲法上の人権であるというふうに考えられる場合とでは、前者は具体的権利性という点から言うと、直ちに裁判的に救済しうる権利にはならないわけです。ところが、もしそれが人権ということになれば、先ほど問題にした一三条が裁判規範であるかどうかという問題にかかわりますが――もし一三条を通説・判例の説くとおり裁判規範だととれば――一三条に新しい人権の根拠を求めることができるし、自由権であれば直ちに具体的権利として裁判所に救済を請求することができることになります。したがって、法的保護に値するかどうかという場合よりも、人権というふうに考えたほうが憲法論としては保護の度合いは質的に変わってくるわけです。

●新しい権利はどういう基準によって認められるか

岩東　さきほど厳格な基準とおっしゃいましたが、その基準については、具体的にはどういうようなことをお考えになっているのでしょうか。

芦部　新しい人権がいま学説上いろいろ主張されており、それはそれとして意味がないわけではないのですが、一方で大きな問題もありますので、厳格な基準ということを特にお話したわけです。それを具体的にどう構成していくかというのはたいへん難しい問題で、日本の学説でその点を問題にしている説はごく少数です。一般にはまだそこまで学説は具体的には説いていない段階だと思うのです。

その点で一つの参考になるのは、アメリカで一九六〇年代にいわゆる妊娠中絶事件が問題になり、中絶の権利というか、夫婦のプライバシーの権利が認められた憲法判例があります。合衆国憲法修正九条に、「憲法で保障された人権以外に人権がないと解釈してはならない」という趣旨の条項があるのですが、一九六五年の判決では、それに基づく新しい人権だというような意見が出てたいへん問題になったのです。その後、六〇年代にさらにもう一つ判決が出て、その判決では修正九条よりも修正一四条の「法の適正な手続によらなければ、生命、自由、財産を奪われない」という自由の中に、基本的権利として夫婦のプライバシーの権利が含まれるという解釈が打ち出され、妊娠中絶を禁止する法律の違憲判断が下ったわけです。

これは裁判所で新しい権利を創設したということになり、しかもそれは実体的な権利を創設したものですから、手続の問題ではなく実体の問題としてデュー・プロセスが問題になったという趣旨で、こういう実体的デュー・プロセスが認められるかどうか、たいへん司法のあり方が問われる一つの契機になり、それが大論争に発展してきているわけです。その経緯はともかくとして、そこでいろいろ問題になったのは、どういう根拠ないし基準によって新しい権利が認められるかということですが、最初のケースで有名な補足意見ですが、こういうことを言っています。「どの権利が基本的であるかを決めるにあたって、裁判官には自己の個人的および私的な観念に基づいて事件を判断する自由は存在しない。むしろ裁判官は、『わが国民の伝統と国民全体の良心』に注意して、ある原則が『基本的なものであるとして分類されるほどそこに根ざしている』かどうかを決定しなければならない。検討すべきことは、ある問題の権利が『それを否定すれば、われわれすべての市民的・政治的諸制度の基礎にある自由と正義の基本原則を侵害してしまうような性格のものである』かどうかである」。

これはちょっとわかりにくいかも知れませんが、ここでもあまりはっきりした基準が出されているわけではなく、基本的な権利として憲法の保障を受けるかどうかは「伝統と国民の良心」とか、「自由と正義の基本原則を侵害してしまうような性格のもの」かどうかとか、というようなごく一般的なことが言われているだけです。

●司法の慎重な判断によって認めることが必要

芦部　ただ学説では、その後それをもう少し厳格な準則に固めようという試みがいくつかなされてきております。「伝統と国民の良心」という基準をもう少し実定法的な、例えば、バージニア権利宣言から始まって最近の国際的な人権宣言に至るまでの規定によって裏づけるとか、そういう実定法的な権利宣言のほかに、例えば、私がたいへん参考になる意見かなと思ったのは、最近書いた論文*で指摘したのですが、第一に、問題の権利が国民生活において長い間基本的なものであったということから歴史的に正当づけられるということ、第二に、多数の国民がしばしば行使しもしくは行使できるという一種の普遍的な性格をもっているということ、第三に、それを行使しても他人の基本的人権を侵害するおそれがない（もしくは極めて少ない）という公共的な性格のものであるということ、こういういくつかの要素を考慮して決定されるべきだという意見です。これもそれほど具体的ではないのですが、要は具体的な準則にまで詰めることが中々むずかしい性質のものですので、権利の乱発ということにならないよう慎重に判断すべきだということだろうと思います。そうしないと、司法のあり方自体が問題になってきます。

ただし反対に、いまのような条件に適合するような段階になった権利を、ただ司法のあり方として好ましくないとかということで否定してしまうこともまた問題なのです。司法は創造的機能を常にもっていると考えるべきですから、ある程度いまのような条件がそろったときに先ほどのアメリカの判例で言われるような抽象的なものでも人権として認めていくということは必要ではないか、だから日本の場合、プライバシーの権利が一三条の幸福追求権の一つとして認められるようになって、判例でも確認されたわけですけれども、それはそれだけの意味が十分あるのではないかと思うのです。

＊ 「包括的基本権条項の裁判規範性」法学協会編『法学協会百周年記念論文集』第二巻（昭和五八年）所収。

Ⅱ 新しい人権の個別的検討

● 環境権には実定法の裏付けが必要である

村山　では、具体的・個別的に検討していきたいと思います。まず、環境権からお伺いしたいと思います。

岩東　環境権を認めるかどうかについても議論があると思うのですけれども、仮に認めた場合でも環境権自体が個人としての権利なのか、それにとどまらず地域全体としての権利として認めようという主張もありうると思うのですけれども、その辺についてもお伺いしたいと思います。

芦部　環境権はご存じのとおり、裁判で何度か議論になったわけですが、最高裁の判例では確認されてはいない権利です。しかし、憲法二五条なり、あるいは先ほども問題になった一三条なりで環境権が認められるとする説が有力です。私もその限りでは環境権を憲法上の権利として構成できると考えています。しかし、環境権は抽象的・理念的な権利ですから、具体的な裁判規範性という点から考えますと、実定法的な裏付けが必要だと思います。そういう意味で二五条を根拠に環境権が認められるといっても、さらに生存権と同じようにそれを具体化する法律が必要ではないかと思うのです。

ただ、いま質問が出たように、それをいかなる性格の権利として考えるかという問題が別にあるわけです。人権は昔から個人権と言われているとおり、個々の国民に属する権利ですが、第二次大戦後に集団的権利という形である種の人権をとらえる考え方も出てきているわけで、必ずしも個人だけに属するわけではありません。例えば、法人の人権主体性を考える場合に、従来の通説ですと、それは法人に属するメンバーの権利に還元されるというところに根拠を求めているのですが、個々のメンバーの権利に還元されるという点ももちろんですが、もう少しそのものの権利という形でとらえてもいいのではないかという意見が最近有力になり、私もそういう趣旨のことを有斐閣大学双書の『憲法Ⅱ人権(1)』で「人権享有主体」の問題を扱った際に書いたのです。

そういう観点から言えば、環境権を個人権という形でとらえるという論理的な必然性はない。だから、ちょうど法人の人権と同じように、終局的には当該団体に属するメンバー、例えば、大学の構成員とか地域住民の権利に還元されるということになるわけですが、大学とか住民の団体である地域全体の権利というふうにとらえても、そのこと自体は憲法的に見た環境権の権利主体として必ずしもあり得ないことではないのではないかと思います。

ところが、裁判との関係では、名古屋新幹線訴訟[18]でも、伊達発電所事件[19]でも下級審の判決ではそういうふうに考えられていない。判例では環境権は認められないし、憲法一三条も一般的・抽象的なプログラム規定であるという意見が一方にあるわけです。ですから、その辺のところは判例はかなり消極的な態度をとっていますし、学説では環境権を認めるという意見がかなり強く、それが多数説とも言えるような状況にあるわけですが、しかしその権利は抽象的なものというのが多数ではないかということです。

●二つのアクセス権のちがい

(18) 名古屋新幹線訴訟（写真・朝日新聞社提供）

名古屋市の新幹線七キロ区間の沿線住民四二八名が、人格権、環境権に基づき、列車の走行によって発生する騒音、振動の居住地内への侵入禁止、具体的方法としては列車の減速を求めて日本国有鉄道を相手に差止請求をしたのがこの事件である。

名古屋地裁（昭五五・九・一一判時九七六・四〇）は、現時点において減速のみが唯一の即効的対策と認められるが、これを採用できない理由は、新幹線の公共性にある、また、原告敷地内への騒音、振動は受忍限度内にある、として差止請求を棄却した。しかし、損害賠償請求については、住民の被害を認め、損害賠償の関係では公共性は受忍限度の判断に影響しない、として国鉄に対して損害賠償の支払いを命じた。

村山　では、アクセス権は表現の自由との関係でどう考えたらよいのでしょうか。

芦部　アクセス権は最近よく話題になり、特に情報公開制度が各地方公共団体で条例化される段階になってきましたので、いっそう問題にされるようになってきていますが、概念はそれほど明確ではないのです。つまり、アクセス権は公権力の情報に対するアクセス権と、報道機関に対するアクセス権と大きく分けて二つあるわけです。ところが前者の公権力の情報に対するアクセス権は、情報公開との関係で問題になっているのですが、知る権利という先ほど触れた表現の自由の現代的形態と考えられる権利の中に含まれるものと解することができます。ただ、それも具体的な権利性は伴っていないので、知る権利があるからといって直ちに情報公開を憲法二一条を根拠にして請求することはできない、情報公開法ないし情報公開条例というものが制定されて初めてアクセス権が具体化するということになるわけですね。

ただ、ふつうアクセス権として問題にされているのは、アメリカでメディア・アクセスと言われる報道機関に対するアクセス権のことなのです。これはなぜかというと、公権力の情報も国民にとって非常に大きな情報源ですけれども、それと並んで報道機関の情報源としての意味はきわめて大きいわけです。そこで、アクセス権というものが認められるとすれば、報道機関に対しても認められるべきだということで、アメリカでは一九六〇年代に有名なジェローム・バロン* (J. Barron) という学者が、国家権力に対すると同様に報道機関に対してもアクセス権は認められる、それは憲法に根拠がある、したがって新聞も反論請求があれば無料で紙面を提供すべきである、という見解を主張して波紋を巻き起こしたのですが、このバロンの考え方が日本にも取り入れられて報道機関に対するアクセス権が主張されるようになってきたわけです。私もアクセス権は知る権利の中に含まれるわけですから、報道機関に対するアクセス権も理念的には認められて然るべきだと思うのですが、最初にお話した人権の第三者効力のところでも触れたとおり、私的団体に対する権利と、国家権力に対する権利とは質的に違うわけで、憲法から直ちに報道機関に対するアクセス権を国家権力に対する権利と並ぶ権利として導き出すことは、たいへん難しいと思うのです。例えば、サンケイ新聞事件では反論請求権が問題になりましたが、地裁と高裁で否定されましたね。これはいまお話したような考え方から言えば、やむを得ないということになるわけです。

* 芦部信喜『現代人権論』(有斐閣)三八五頁・三八九頁、芦部編『憲法Ⅱ人権(1)』(有斐閣)五四六頁、等参照。

●報道機関に対するアクセス権の具体化は立法で

岩東　具体的に認めるためには立法が必要だということですか。

芦部　そうです。報道機関に対するアクセスを何らかの形で具体化するとすれば、フランスやその他の国にある反論権法というような法律を制定しなければならないということです。ただし、その場合、反論権法がすぐに合憲になるかという問題が別にあります。

というのは、報道機関には報道の自由が保障されており、それは編集の自由と言ってもよいのですが、そうしますと、反論権を認めることは編集の自由を制約するわけですから、反論権が無制約に認められることにはならないわけです。つまり国民の報道機関に対する知る権利と報道機関の報道の自由ないし編集の自由とのバランスということが問題になってくるわけです。ですから、そこのバランスが国民のアクセス権に傾きすぎるような形で反論権法が作られれば、そういう法律はそもそも違憲だという問題も起こる可能性があるのです。当否はともかくとして、アメリカのフロリダ州の反論権法が連邦最高裁で一九七四年に違憲の判決を受けています。それは報道機関の編集の自由を侵すということが最も大きな理由なのです。ですから、その辺は細かに法令を紹介して議論しなければならない点ですが、そういう問題もあることに注意してほしいと思います。

〔解　説〕

芦部先生の憲法学の核心的なるもの

東京大学教授　高　橋　和　之

本書でとり上げられているテーマは、いずれも芦部先生がこれまでに立派な業績をあげてこられた分野のものばかりである。それぞれのテーマについては、すでに先生のすぐれた多くの論文が発表されており、学界でも高い評価が確立している。その大半は先生の論文集『憲法訴訟の理論』『現代人権論』『憲法訴訟の現代的展開』（いずれも有斐閣）などに収められ入手しやすくなっているから、憲法の勉強を多少とも掘り下げてやってみようと志す人には、是非とも一度とはいわず何度も腰を落ちつけてじっくり読んでみて欲しいと思う。しかし、法律の専門家を読者に想定して書かれていて、内容が高密度に圧縮されている上に、主としてアメリカを中心とする比較憲法的議論も多く含まれているから、正直なところ初学者にとっては決して読みやすい本ではなかろう。私も大学のゼミの教材に使用したことが何度かあるが、学生から難解すぎるという嘆きをよく耳にした。先生の講演などを集めて出版された『司法のあり方と人権』(東京大学出版会)が、内容は高度ながら平易な文章で初学者にも分かりやすく好評であったこともあり、こういった初学者向きの本が先生の人権論についても期待されていたところである。本書はこの期待に答えるべく企画されたものと思われ、先生自らが平易な語り口で解説された芦部憲法学(人権論)への格好の入門書となっている。初学者にとって大きな朗報であろう。

先生のこれまでのお仕事全体をみわたしてすぐ気がつくのは、その多くの論文が戦後日本で起こった大きな憲法上の事件を契機に、そこに現れた憲法上の問題点の究明をめざして執筆されていることである。たしかに先生は、一つの問題についてご自身の見解を表明されるに当たっては、諸外国の研究成果を広く渉猟されており、その研究の周倒さには驚嘆させられる。しかし、その目はいつでも日本の憲法問題を見すえておられ、問題意識は常に日本の憲法問題から直接的に引き出されている。たとえば、本書で扱われているテーマでいえば、公務員の政治活動の自由の問題などは、先生が最も大きな関心を示されてきたものの一つで、この問題を争った有名な猿払事件に対しては、アメリカ憲法などとの詳細な比較研究を基礎にした鑑定意見を裁判所に提出されたり、判決の評釈を発表されたりして、事件の帰趨に少なからぬ影響を与えられたのは周知のところである。このように、先生は日本の憲法問題から課題を汲みとり、ときには相当実践的に状況に向けての発言をされたこともあったが、しかし、そういうときでも、あくまでも研究者としての立場を堅持され、問題を比較憲法的な観点から分析した上での学問的な立場からの発言に謙抑されている。憲法学という学問の性格もあって、ともすればあまりにも実践的になったり、あるいは逆に、日本の問題とは全く切断されたような形での外国憲法研究に埋没してしまったりしがちな憲法学界の中で、いずれにも偏せずよき意味でのアカデミズムを守ってこられたことは、先生の憲法学の特質を考えるばあい見のがすことのできない点である。

芦部先生が日本の憲法学に最も大きな影響を与えられたのは、いうまでもなく憲法訴訟論の領域においてであった。先生の著書『憲法訴訟の理論』のはしがきにも書かれているが、この領域における先生のお仕事は、アメリカ留学の最大の成果である。当時、日本ではまだほとんど意識されていなかった憲法訴訟上の諸問題を、留学中に鋭利な感覚でつかみとられた先生は、帰国後、日本の憲法判例の中にも同種の問題が潜在していることを鋭く分析され、日本における憲法判例研究の新たな方向と

高橋和之先生略歴

一九四三年、岐阜県に生まれる。一九六七年、東京大学法学部卒。法政大学教授を経て、一九八四年、東京大学教授。

（主要論文）「フランス憲法学説史研究序説」国家学会雑誌八五巻一～一〇号。「現代フランス代表民主政論の研究」法学志林七九巻四号、八〇巻一号・三＝四号。

新分野をいち早く開拓された。この先生の研究によって、広くは立法の社会的背景から、狭くは訴訟技術上の諸問題までも射程に入れた憲法訴訟と判例研究の方法論が確立され、日本の憲法訴訟理論が飛躍的に深化されたのである。

私事にわたるが、私は学生時代には弁護士を志望し、法学部の進路も一類（私法コース）を選び、司法試験課目には民事訴訟法と刑事訴訟法の両者を採り、私法や訴訟法を重点的に勉強していた。そのため、芦部先生に助手採用をお願いしたときには、なぜ憲法を専門に選ぶ気になったのかをどう説明しようかと頭を悩ませたりしたが、先生は私の内心の不安をよそに、一類出身でとくに訴訟法に興味をもっていたということは、憲法をこれから研究して行く上に非常に役立つはずだとおっしゃって下さった。そのときには十分にその意味が理解できなかったが、後に、大学院で先生が行われた憲法訴訟のゼミに参加させていただいたとき、はじめて「立法事実」とか「当事者適格」といった問題にふれて斬新な衝撃を受け、先生のいわれた意味が納得できたように思ったのを記憶している。

憲法訴訟に関する先生の論文は一冊に収めて『憲法訴訟の理論』として出版されたが、これがひき起こした反響は日本の憲法学史に残るものと思う。憲法訴訟論は、一時期、憲法学界のブームとなった。しかも、そのブームがようやく沈静化してきた現在、憲法訴訟論は、一つの重要な研究分野として確実にその地歩を確立し、決して一過性のブームではなかったことを証明している。今後、ますます多くの研究者によってこの分野の研究も深められて行くであろうが、先生が日本におけるその先駆者として憲法学史の中にその名をとどめられるのは間違いない。

しかし、憲法訴訟とそれに接続する人権論の領域における業績をあまりに強調しすぎることは、逆に、芦部憲法学の全体像と見失わせるおそれのあることを、私自身は危惧している。先生は、周知のように、統治機構論の分野においても多くのすぐれた業績を残されており、それらは『憲法と議会政』『憲法制定権力』（いずれも東京大学出版会）として集成されている。年代を繰ってみればわかるように、この分野での先生のお仕事は若いころに集中しており、大雑把にいえば、アメリカ留学を境に統治機構論の分野から憲法訴訟論、人権論の分野へと問題関心が移行していったのを見てとることができる。しかし、関心の対象が移行して行ったとはいえ、同じ憲法学であり、先生の内面のどこかで両分野は接続していたはずである。両分野を貫いて先生の全体的憲法イメージを規定している核心的観念は何であったろうか。今の私にその答えがあるわけではない。しかし、試論的に言えば、二重の基準論の芦部先生的な理解の仕方の中に一つのかぎを見出しうるのではないかという予感をもっている。

二重の基準の理論については、本書でもわかりやすく説明されているが、そこで重要なことは、先生がその理論的根拠として代表民主制的な統治機構との関連を強調する立場を採っておられることである。代表民主制を基本原則とする統治機構の中で裁判所に期待されている役割は何なのか。代表民主制の下に主権者国民の意思を最も直截に反映すべきものと想定された機構としては国会がある。とところが、日本国憲法は、この国会が制定した法律の審査権を、国会と比べれば制度論上は民主的要素がより少ないといわざるをえない裁判所に与えているのである。司法審査権は民主主義の論理からは少なくとも直接的には出てこない。そうだとすれば、代表民主制との関連で、裁判所に授けられた違憲立法審査権はどのように行使されるべきかという問題に直面することになる。このとき、先生は、基本的原理としての代表民主制のメカニズム、換言すれば、民主的な政治過程（デモクラティック・プロセス）を守ることの中に裁判所の最も重要な役割を設定されたのである。ここから、民主的な政治過程の存在のための前提条件となるような権利が問題となった場合には、裁判所は厳しい基準によって独自に積極的な判断をすべきであるが、それ以外の権利が問題となっている場合には、その解決は民主的な政治過程に委ね、裁判所はその政治部門の判断をできるかぎり尊重すべく、より緩やかな基準で判断すべきであるという、裁判所の採るべき積極主義、消極主義の二つの態度が導き出される。それは、統治機構論において民主主義や権力分立原理などの調和の中でそれぞれの機構に期待される役割と同時に、人権論において裁判所が採るべき審査基準の大枠をも表現する理論であり、両分野の接点をここに見るのは必ずしも的はずれではないであろう。

しかし、それにしても、政治過程の民主性を守る役割を、民主的性格のより少ない裁判所に期待するというのは一つの背理であり、この態度は、つきつめれば民主主義に対する不信とはいわないまでも一定の留保を伴っている。先生の場合、この留保には二種類があったように思う。一つは、日本の民主主義の現状から来る留保である。先生は、首相公選論を批判した論文（「首相公選論」『憲法と議会政』所収）の中で、日本の議会政の改革方向として、モーリス・デュヴェルジェのいう「直接民主制」よりも「媒介民主制」の方向、つまり、「代表の正確性の確保」の方向により強い選好を示されている。「媒介民主制」というのは、国民の意思を議会にまではできるかぎり忠実に反映させようとするが、政府の形成は議会の代表者に委ねてしまい、国民の意思が媒介的にしか反映されない民主制である。この用語の創出者であるフランスの公法・政治学者デュヴェルジェは、現代民主制の課題は国民の意思を単に議会に反映させることではなくて、むしろ政府に反映させることの方が重要だと論じ、かかる民主制を「直接民主制」と呼んで「媒介民主制」と区別したが、先生は、日本における当面の課題はむしろ媒介民主制を実現することではないかと考えられたのである。このことは、裏返せば、日本では媒介民主制さえ十分に確保されたことがないという評価を伴っていると思われる。そうだとすれば、その実現に向かって裁判所が果たすべき役割への期待は大きくならざるをえない。さらに、民主的政治過程がある程度実現されているならば、本来は裁判所が消極的であってもよい経済的自由の分野でも、民主的政治過程が不十分である以上、アメリカの最高裁のように徹底した消極主義、「無干渉（ハンズ・オフ）」の態度を採ることを日本において認めるわけにはいかない。日本よりも民主的政治過程がより良く実現されていると思われるアメリカにおいてさえ、最高裁のかかる態度に対しては強い批判があるのである。したがって、日本の民主制の現状に対応した形で裁判所の役割も考えなくてはならない。

このように、芦部先生の裁判所に対する期待は、日本の民主制の現状に対するマイナスの評価と無関係ではないように思われる。しかし、民主主義が進展すればやがては違憲審査も不必要になると考えられているかといえば、決してそうではないであろう。先生の民主主義に対する留保はもっと本質的・根源的なところに発していると思う。それは、近代立憲主義（自由主義）からの留保である。近代立憲主義においては、自然権として考えられた個人の自由を国家権力による侵害から守ることこそが至上目的とされた。たしかに、参政権も多かれ少なかれ保障はされたが、しかし、それはあくまでも「国家からの自由」を守るために有用と考えられたからであり、かつ、その限度においてにすぎなかった。「国家への自由」は「国家からの自由」に比べ二次的な地位しか与えられていなかったのである。現代国家になると、自然権として既存のものと考えられた自由の観念に対し、いまだ不存在であり将来に向かって創造して行くべき自由という観念が登場する。ここでは、国家は自由の創造の主体としての地位を認められるのであり、「国家からの自由」に対抗して「国家による自由」が強調され、かつ、「国家への自由」が中心的な地位へと押し上げられて来る。この二つの論理の相克の中で、もちろん両者の何らかの調和を図ろうとするのが現代憲法の立場ではあるが、しかし、その基本構造において近代立憲主義の論理を優先させるというのが、芦部先生の根本態度であろう。このことは、本書の基本的人権の私人間における保障のところでの説明の中にも表れているが、より根本的には、先生の憲法制定権力の限界の捉え方の中に典型的に表れている。憲法改正の限界を論ずるに当たって、多くの論者は、憲法改正権は自己の妥当根拠たる憲法制定権力そのものを否定するような意味をもつ改正をすることは法論理上できないという理由づけを援用するが、これに対し、先生は、そもそも憲法制定権力そのものが限界をもつのだという立場を採られている。民主主義の論理からすれば、主権者国民の有する憲法制定権力はその主権性の表現であるが、その憲法制定権力ですら、自然法、立憲主義から来る制限を受けると考えられるのである。かくして、二重の基準の理論は、先生においては、その最も抽象的なレベルで立憲主義と民主主義の対立、調和の中に根拠づけられているのである。

二重の基準論が、その背後に、裁判所に対する立憲主義からのいわば過大な期待を秘めているとするならば、では、日本の裁判所、なかんずく最高裁は先生の目から見てその期待に答えているのであろうか。先生の最高裁判例に対する評釈には、先生が最も精力を注がれた猿払事件判決に対するものをはじめとして、批判的立場のものが多い。最高裁は、先生の理論とどのように異なった前提に立って動いているのであろうか。その前提、フィロソフィーはいかなるものか。いろいろな議論がなされているが、いまだそれをフィロソフィーまで含めて体系的に整序し把握した理論はない。先生の理論はそれを分析するばあいの有力なフレームの一つとなりうるものである。その分析は、先生の後につづく私達の課題でもなければならない。

有斐閣リブレ No.1——憲法の焦点 PART1・基本的人権

1984年5月25日 初版第1刷印刷
1984年6月1日 初版第1刷発行 ©

著者 芦部信喜
発行者 江草忠敬
印刷・製本 法令印刷
発行所 株式会社 有斐閣
〒101 東京都千代田区神田神保町2—17
電話 (03) 264-1311 振替 東京6 370
京都支店〔606〕左京区田中門前町44

憲法の焦点
PART 1　基本的人権 ―芦部信喜先生に聞く―(オンデマンド版)
有斐閣リブレ

2013年5月15日　発行

著　者　　芦部　信喜
発行者　　江草　貞治
発行所　　株式会社 有斐閣
〒101-0051　東京都千代田区神田神保町2-17
TEL　03(3264)1314(編集)　03(3265)6811(営業)
URL　http://www.yuhikaku.co.jp/

印刷・製本　　株式会社 デジタルパブリッシングサービス
URL　http://www.d-pub.co.jp/

AG705

ISBN4-641-91197-5　Printed in Japan